MOLENS

Ir. F. Stokhuyzen

MOLENS

Vijfde geheel herziene druk
Fibula-Van Dishoeck • Haarlem

Op het omslag: Specerijmolen 'De Huisman'. Achtkante bovenkruier met stelling, bouwjaar onbekend. In 1955 geplaatst aan de Zaanse Schans, Zaandam. Dia A. J. de Koning, Hoofddorp.
Inzet: Korenmolen 'Aeolus' in Oldehove (Gr.). Achtkante bovenkruier met stelling, oorspronkelijk als pelmolen gebouwd in 1846. De wieken zijn uitgerust met zelfzwichting. Dia A. J. de Koning, Hoofddorp.
Achterzijde omslag: Zuidhollandse watermolens. Tekening J. C. Lunenburg, Aalsmeer.

ISBN: 90 228 4244 4
© 1981 Unieboek, Bussum
Gezet bij Euroset, Amsterdam
Gedrukt bij De Boer Cuperus, Utrecht
Bindwerk: Binderij Sikkens, Deventer
Lay-out en omslag: Arie van Rijn, Haarlem

Verspreiding voor België: Unieboek b.v., p/a Standaardboekhandel, Belgiëlei 147A, 2000 Antwerpen.

INHOUD

Zeeuws achtkantje.

WOORD VOORAF BIJ DE VIJFDE DRUK

Voordat de vierde druk van het veelgevraagde boekje 'Molens' van ir. F. Stok-huyzen uitverkocht raakte, was de auteur op 28 juni 1976 op 85-jarige leeftijd overleden. In overleg tussen het dagelijks bestuur van de vereniging 'De Hollandsche Molen' en de uitgeverij Unieboek bleek de wenselijkheid om voor een herdruk de tekst opnieuw te bewerken. Deze taak werd aanvankelijk ter hand genomen door de heren A.J. de Koning te Hoofddorp en mr. J.H. van den Hoek Ostende te Amsterdam, die het een duidelijk molenbelang achtten, dat het werk van de heer Stokhuyzen opnieuw ter beschikking van belangstellenden kon komen. Bij hun werk hebben zij dankbaar gebruik gemaakt van door de heer A.J. Kleinhuis te Den Burg op Texel verschafte gegevens over de elektriciteitsopwekking door de molen 'De Traanroeier' te Oudeschild en van aantekeningen van de heer P.J.M. de Baar te Leiden, die zowel door zijn afkomst uit een Zeeuws molenaarsgeslacht als door zijn molenstudies op het Leidse gemeentearchief een molenkenner bij uitstek genoemd mag worden. De heer J.T.M. Gunneweg te Vlaardingen was zo vriendelijk het hoofdstuk over de watermolens na te zien.

De door hen herziene en aangevulde tekst hebben de eerste bewerkers voorgelegd aan de heren C.A. van Hees te Amsterdam, B. Slooten te Koedijk en dr. E. Zwijnenberg te Alkmaar. Vooral de tweede kwam met vrij ingrijpende voorstellen aangaande de opzet en de inhoud van 'Molens', die om hun didactische waarde werden overgenomen. Gezamenlijk werd besloten tot uitbreiding en wijziging van de illustraties, waarvoor de medewerking werd verkregen van de tekenaars Jan C. Lunenburg te Aalsmeer en G.J. Pouw te Naarden. De heer C.W. van Dijk te Haarlem nam op zich de tenslotte zeer onoverzichtelijk geworden kopij in het net te typen.

Bij de thans gereed gekomen bewerking is ernaar gestreefd het oorspronkelijke karakter van 'Molens' zoveel mogelijk onaangetast te laten, met name in de inleidende en de beschouwende gedeelten, waaruit tot degenen, die hem gekend hebben, de markante persoonlijkheid van de heer Stokhuyzen zo duidelijk spreekt. De bewerkers menen er wel op te moeten wijzen, dat zij Hollanders zijn, zoals ook de oorspronkelijke auteur Hollander was, zodat de nadruk wel eens op Hollandse ontwikkelingen en benamingen ligt, maar zij hebben er toch naar gestreefd ook aan de andere gewesten zoveel mogelijk voorbeelden en illustraties te ontlenen.

In de oorspronkelijke tekst van ir. Stokhuyzen werd geen aandacht besteed aan de molens die worden aangedreven door water. Het leek de bewerkers van deze vijfde druk raadzaam deze molens wel in het kort te bespreken. Daarmee ontstond echter meteen een probleem rond de naam 'watermolen'. In de streken waar door water aangedreven molens voorkomen, noemt men deze watermolens. In de lage gedeelten van ons land worden de windmolens die water ver-

Ir. F. Stokhuyzen

plaatsen ook watermolens genoemd. Daar het woord waterradmolen historisch minder verantwoord is, zal het in dit boek niet gebruikt worden. Het alternatief, alle door wind aangedreven watermolens voortaan 'poldermolens' te noemen, is ook niet juist, aangezien bij diep gelegen polders juist onderscheid wordt gemaakt tussen poldermolens, ondermolens, middelmolens en bovenmolens, terwijl er ook watermolens zijn ter afmaling van een boezem, of dienend voor waterverversing.

De bewerkers hebben daarom toch besloten de term watermolen zowel voor de door water aangedreven molens, als voor de waterverplaatsende windmolens te gebruiken. Daar de door water aangedreven molens vrijwel alleen in een afzonderlijk hoofdstuk ter sprake komen, is verwarring dienaangaande vrijwel uitgesloten.

De bewerkers, voorjaar 1981

WOORD VOORAF

De molens hebben een grote rol gespeeld in het leven van ons land en zijn bewoners. Aanvankelijk dienende om het verbouwde graan te malen, het land van wateroverlast te bevrijden, het aangevoerde hout te verzagen en zodoende de bewoonbaarheid van Nederland mogelijk te maken en te vergroten, zijn zij – vooral in de zeventiende eeuw – uitgegroeid tot een allerbelangrijkst onderdeel van het maatschappelijk bestel van die dagen. Het is met steeds weer stijgende belangstelling, dat men daarvan kennis neemt.

In die dagen was het 'ambacht' nog een 'kunst', gegroeid uit kunde en – vaak onbewust – schoonheidsgevoel, opgebloeid uit een harmonie in het bestaan van leven en werken. Dit alles vinden wij heden ten dage in de molens nog terug. Zij hebben ons iets te vertellen over deze schoonheid, die spreekt tot een ieder die daarvoor maar enigermate ontvankelijk is.

De vreemdeling moge naar ons land komen en door het typisch Hollandse landschap met zijn 'grappige' molens worden bekoord, de vaderlander kan daarvan – om zo te zeggen – elke dag genieten, mits hij de moeite neme om de bekoorlijkheid van de molens in stad en landschap te ondergaan en hun schoonheid te willen beleven.

F. Stokhuyzen, Leiden, herfst 1971

Noordhollandse wipmolen

9

DE MOLENS IN ONS LANDSCHAP

De wind blaast waarheen hij wil, en gij hoort zijn geluid, maar gij weet niet vanwaar hij komt en waar hij heen gaat; zo is een ieder die uit de Geest geboren is.

(Joh. 3 : 8)

De molen is in het Nederlandse landschap een symbool van diepe levensernst. Met brede voet stevig geplant op de grond, staat hij daar als een toonbeeld van kracht als was hij er volkomen mee vergroeid, een deel van de natuur rondom. Volkomen harmonisch in de omgeving, gevormd met behulp van hout, de vaderlandse baksteen en het riet als bedekking. Het riet, dat overal rondom in het waterland voor het grijpen was en dat door de zeventiende-eeuwse Nederlander als een volkomen natuurlijk bekledingsmiddel werd gebruikt – en nog wordt gebruikt. Alles aan de molen getuigt van eenvoud, werkelijkheidszin en praktische bruikbaarheid in al zijn primitieve constructieonderdelen; uit zijn wezen spreekt zijn verbondenheid met de oer-natuurkrachten: water en wind. Deze twee woorden hebben een zeer bijzondere bekoring voor de rasechte Nederlander: water en wind.

Wij gevoelen hoe – vele eeuwen terug – de bewoner van de Lage Landen elk uur van de dag zijn aandacht moest hebben voor het water, voor de wind; hoe vanzelf boer en visser bij elke ontmoeting hun praatje hadden over het weer, want hun dagelijks bestaan was daarmede verweven, daarvan afhankelijk. Wij beseffen hoe de bewoner langs de dijken op zijn oude dag krom loopt door het vele jaren lang steeds maar-door met de kop tegen de wind-in stappen, werken, sjouwen; hoe de Nederlander sinds overoude tijden wel moest worden een nuchter en koppig man: nuchter omdat hij altijd met de verraderlijke elementen rekening moest houden, koppig omdat hij slechts in volhouden winnen kon. En wie ontvankelijk is voor de grootsheid der natuur, leeft op als hij – alleen of met een paar getrouwen – als varensgast zich één geheel voelt met, zich als een onderdeel voelt opgenomen in die natuur van water en wind en van varende wolkengevaarten; hij beleeft een bijzondere genieting als hij met primitieve natuurlijke hulpmiddelen, zoals het zeilvaartuig in wezen toch niet anders is, zich in de meest letterlijke zin boven water moet houden en vooruit moet komen. Daarom is het ook zo goed te begrijpen, dat een visserman niet anders kan, niet anders wil dan zijn oertrek volgen en zijn karig bestaan niet zou willen ruilen voor welk ander vak ook, maar schipper wil blijven op zijn schuit – naast God – zoals het in de scheepspapieren heet. Een visserman en een boer, ze zijn zelf tot een stuk natuur geworden, in karige woorden sprekend, weldadig gezelschap bij alle verschil in intellectuele ontwikkeling. En wie een poëtisch gevoel heeft, hem vaart een wereld van gedachtenbeelden door het hoofd, wanneer hij luistert naar het fluiten van de wind, hetzij door 't want of – zittende aan de haard op de eenzame boerderij – door de schoorsteen ofwel in de steunende en kreunende molen, die, onverschillig voor de elementen buiten, zwoegende zijn werk doet, het interieur in clair-obscur, slechts hier en daar door een schaars lampje verlicht.

De wind werd door onze voorouders gebruikt om hun dagelijkse behoeften te kunnen bevredigen: het droog houden van het land om het te kunnen bebouwen en het malen van het geoogste graan, door menselijke arbeid in dagelijkse zorg verkregen. Bij de bevrediging van de meest primitieve dagelijkse behoeften bleef het niet, want water en wind werden de factoren waardoor Nederland tot glorie en bloei zou geraken: het water als hulpmiddel voor goedkoop vervoer over verre afstanden, de wind om te drijven de zeilvaartuigen en de talloze water- en industriemolens, waaraan ons land tot ver in de negentiende eeuw zo rijk was.

En zo bezien, verbindt de windmolen ons in gedachten met het verre verleden, deze molens die zo vele geslachten om zich heen hebben zien komen en gaan, die in hun ongerepte schoonheid als 't ware nog iets van de geest der heengegane menselijke geslachten in zich hebben opgenomen en bewaard, geslachten met hun zwoegen, hun vreugde, hun leed. De molen is ons het symbool van de dagelijkse menselijke arbeid, zijn wieken zwaaien rond bij regen en bij zonneschijn, in de snijdend koude winterdag, in de felle voorjaarsluchten, zowel als in het heetst van de zomer.

De molen hoort thuis in het Nederlandse landschap. Zó, dat wij ons dat landschap niet kunnen indenken zonder deze, althans niet zonder ons veel armer te gevoelen. Hoort hoe Henri Polak het Nederlandse polderland in 1929 beschreef in zijn magistrale boek 'Het Kleine Land en zijn Groote Schoonheid', hoe hij met enkele zinnen voor de geest tovert een tafereel van een Breughel of Koekkoek:

'Dan komt de winter en de velden geraken bedolven onder de sneeuw; dan is de wijde vlakte een eindelooze blankheid, die aan den vagen gezichtseinder samensmelt met de loodgrauwe lucht, of in felle schittering ligt in den glans der middagzon!' En hij gaat voort:

'En als de winter "kwakkelt", als vorst en storm en sneeuw en zwiepende regen uitblijven, dan liggen de hoeven en huizen en schuurtjes stil en beklemd in het dorre land en leven slechts de molens, die den polder bevrijden van het overtollige water en hem bewoonbaar en voor den landbouw geschikt houden – dan leven slechts de molens, wier sterke wieken de kracht vangen van denzelfden wind, die de regens neerzwiept, en hem aanwenden om den polder te verlossen van het kwaad, dat deze regens zouden kunnen stichten.'

De molens zijn uit oude tijden reeds een schepping van de menselijke geest, die zich onderscheidt van die van het redeloze dier, dat wel instincten volgen kan, maar niet bewust doelmatigheidsapparaten uit zijn brein kan doen ontstaan. Het scheppend vermogen van de mens is typerend voor des mensen geest en zijn Hogere Verwantschap. Van de produkten van de technische mens zullen de molens met hun primitieve vormen en uiterlijk ons gevoel nog zuiverder en

11

meer rechtstreeks aanspreken dan de latere vindingen van technische vaardigheid als bijv. de radar en automatische piloot.

Wij moeten ons dan ook goed bewust zijn, dat wij tegenover de molens een ereschuld hebben van enkele eeuwen oud.

Op de oude prenten van steden en dorpen zien we doorgaans vele molens afgebeeld. Dat is vanzelfsprekend, want zo'n prent geeft een min of meer getrouwe afbeelding van de werkelijkheid en de molens stonden er. Ziet men een dergelijke prent van Amsterdam of Leiden, dan staat men verbaasd van het aantal molens dat men op de wallen ziet staan en dat, gezien vanuit de omgeving, het silhouet van de stad volkomen moet hebben bepaald.

Al te zeer behoeft dat grote aantal ons niet te verwonderen, als we bedenken, dat in vroeger jaren op elke 2000 inwoners een molen aanwezig moest zijn om een ongestoorde meelvoorziening voor de bevolking te kunnen waarborgen.

Een schilderij laat ons in het bijzonder zien, hoe het kunstenaarsoog werd getroffen door de molen als deel van het landschap of stadsgezicht. Voor zover men dat zelf nog niet in de werkelijkheid zo duidelijk zou hebben gevoeld, geeft het schilderij ons rechtstreeks het wezenlijke van de grote bekoring die er van een molen op zijn omgeving uitgaat. Het toont ons, evenals bij een goed geschilderd portret, het ware karakter van hetgeen op het doek werd gebracht, de diepere zin ervan.

Winterlandschap met molens van Ch. H. J. Leickert (1818-1907): 'Bevroren vaart bij Dordrecht'. Op de voorgrond een (gesloten) standerdmolen, dan twee bovenkruiers en op de achtergrond een stellingmolen, met elkaar een prachtig landschap vormend.

Zie bijvoorbeeld de 'Bevroren vaart bij Dordrecht' van Leickert, een der schilders uit de Romantische School in het midden van de negentiende eeuw. Op de voorgrond zien we een standerdmolen, dan twee bovenkruiers en op de achtergrond een stellingmolen. Evenals de kunstenaar zelf worden we getroffen door de harmonie en rust welke van de majestueuze molens in het tafereel uitgaan, een rust van het geheel waarin toch de beweeglijkheid van de schaatsenrijders op de bevroren vaart volkomen past. Zie de prachtige Schelfhouts, Nuyens, Koekkoeks en andere waarin de molens het accent geven in de winterse omgeving. Een Schelfhout: langs het bevroren water staat een molen, verstijfd in winterkou; om het oude vrouwtje met de omslagdoek dat op de landweg tegen de koude wind in worstelt, waait de stuifsneeuw en het ligt er als een wit poeder op de molenkap.

De molens zien er zo in de winter heel anders uit dan in de zomer; kijk maar eens naar Roelofs, Gabriël, Jongkind en Weissenbruch, die ze u laten zien in het glorierijke licht van de volle zomer te midden van het feest van weide, riet en lover aan de plas.

In de vele musea waaraan ons land zo rijk is, kunt u ze vinden, de molenschilderijen, in het Rijksmuseum te Amsterdam, in de musea te Rotterdam en 's-Gravenhage en in tal van andere steden. Ga erheen en laat op u inwerken datgene wat al vele eeuwen lang het kunstenaarsoog boeide in betrekking tot de oudnederlandse molen.

Het was waarlijk niet uitsluitend de Romantische School die in zo'n onnoemelijk aantal kunstwerken de molen echt in het midden plaatste of tot het hoofdmotief maakte van haar compositie. Ook bij de grote meesters uit de zeventien-

Landschap met molens van W. Roelofs (1822-1897): 'Molens aan het Gein'. Zomerse weelde en rust in de natuur.

de eeuw kwam de molen veelvuldig voor op het doek; wij denken aan de schilderijen van Avercamp, van Ruysdael, Hobbema en vele anderen en aan de bekende etsen van Rembrandt.

Is het nu te veel gezegd als wij stellen, dat de molens niet uit ons landschap

13

mogen verdwijnen, dat hun verlies de schoonheid van ons land op onherstelbare wijze zou schaden, dat het zelfs zou neerkomen op een 'international calamity' zoals een Amerikaan, de molenminnaar John Payne, het reeds vele jaren geleden uitdrukte?

Zomerlandschap met poldermolen van P.J.C. Gabriël (1828-1903): 'De maand July'. De molen in de zinderende hitte van de hete zomerdag.

Vele redenen van cultuurhistorische en esthetische aard spreken hier hun woord mee. Het zou beschamend zijn wanneer zou blijken, dat het Nederlandse volk dit nationale bezit niet naar waarde zou weten te schatten en wanneer de negentiende-eeuwse afbraakwoede waaraan al zo vele van onze mooie stadspoorten, huizen en karakteristieke stadsgedeelten zijn ten prooi gevallen, ook thans nog zou blijven voortrazen over de molens. Gelukkig is men langzamerhand tot betere inzichten gekomen en worden de nog bestaande molens steeds meer gewaardeerd als monumenten van cultuurgeschiedenis en kunst: zij kunnen zich dan ook als zodanig verheugen in de bescherming van overheid, verenigingen, stichtingen en particulieren.

14

MOLENTYPEN

ALGEMEEN

Wie denkt bij het lezen of schrijven over windmolens niet aan de vermaarde geschiedenis van de 'Ridder van de Droevige Figuur', Don Quichot de la Mancha, op zijn Rocinante! De bezadigde landjonker die, na het lezen van de vele ridderromans, van het gezond verstand beroofd, zich tot dolende ridder uitriep en een arme boer, Sancho Panza, ertoe bracht om vrouw en kinderen te verlaten en hem als schildknaap op een ezel op zijn zonderlinge tochten te vergezellen. Zij trekken er samen op uit en treffen in de vlakte een groot aantal windmolens aan die door onze ridder voor ongure reuzen worden aangezien die hij dan ook moet gaan bevechten. Met gevelde lans stormt hij erop af met het gevolg dat de draaiende wieken hem met rossinant en al over het veld doen rollen. Deze molens zagen er ongeveer uit als de gravure van Gustave Doré in de geïllustreerde uitgave van het beroemde verhaal ons laat zien.

Ook de molens van het type zoals we dat aantreffen in de landen rondom de Middellandse Zee: een vijf- of zestal of meer primitieve wieken die bestaan uit spaken met fokvormige zeilen getuigd, zijn in vergelijking met onze molens slechts schamele windwerktuigen.

Maar we zullen ons bepalen tot onze eigen molens die, karakteristiek voor ons land, door geen enkel type, waar ook ter wereld, in perfectie en bevalligheid worden overtroffen.

Men kan de molens onderscheiden op verschillende wijzen en wel naar de wijze van aanleg, naar het uiterlijk, naar de wijze van bediening en naar de taak die de molen heeft te verrichten. Deze onderscheidingswijzen dekken elkaar niet, maar overlappen elkaar wel hier en daar. Daardoor zijn in het spraakgebruik namen ontstaan die niet altijd even duidelijk zijn, noch ondubbelzinnig.

Naar de wijze van aanleg onderscheiden we de *grondzeiler*, de *berg*- of *beltmolen* en de *stellingmolen*.

Volgens het uiterlijk kunnen we onderscheiden: *standerdmolen, wipmolen, spinnekop, weidemolentje, (t)jasker, torenmolen*, veelkante houten *bovenkruier*, ronde en veelkante stenen bovenkruier, *paltrok* en *watervluchtmolen*.

Naar de wijze van bedienen, die samenhangt met de constructie van de molen, kan men spreken van een *bovenkruier*, deze dan nog te onderscheiden in *binnenkruier* en *buitenkruier*, of een *onderkruier*.

Tenslotte brengt de taak die de molen verricht een verdeling mede in *watermolens* en *industriemolens* zoals korenmolens, pelmolens, oliemolens, papiermolens, houtzaagmolens en dergelijke.

Al deze onderscheidingen blijven enigermate willekeurig. Een korenmolen – van oudsher een standerdmolen – is nu in de regel een bovenkruier van het type ronde stenen molen of achtkante met riet gedekte molen. Staat hij op een stads-wal dan zal men hem ook met de naam *walmolen* horen betitelen.

Maar ook een wipmolen kan – hoewel het zelden voorkomt – een korenmolen zijn en ook is er een enkele stellingmolen te vinden die de functie van watermolen heeft.

Een paltrokmolen is altijd een houtzaagmolen, maar er zijn ook houtzaagmolens die bovenkruiers zijn en een wipmolentje op het dak van een schuur is als lattenzagertje niet onbekend, terwijl er ook grote wipzaagmolens zijn geweest.

Dit alles lijkt nogal lichtelijk verwarrend, maar we kiezen de meest voor de hand liggende weg en zullen de verschillende molentypen laten zien zoals zij zich op het eerste gezicht voordoen, zodat wij ze op afstand al zullen herkennen.

Alvorens nu de afzonderlijke molentypen te bespreken, dient men eerst een overzicht te hebben van de werking van de windmolen voor zover deze voor alle molens (de tjasker uitgezonderd) gelijk is. De werking van de tjasker wordt straks afzonderlijk behandeld.

Op de diverse te noemen onderdelen wordt verderop in dit boekje dieper ingegaan zodat hier volstaan wordt met een globaal overzicht.

1. De energiebron van de windmolen, de wind, wordt gevangen door het *wiekenkruis*: een samenstel van twee ijzeren of soms houten balken met een samenstel van latten daaraan vast: het *hekwerk* of de *hekkens*. Dit hekwerk heeft een kromming om de windkracht te kunnen omzetten in een draaiing van het wiekenkruis (was het recht, dan zou de wind er slechts tegenaan blazen en de wieken zouden niet draaien). Deze kromming noemt men *zeeg* of *schoot*.
2. Deze twee balken worden *roeden* genoemd. De helft ervan heet een *wiek*. Een molen heeft dus twee roeden en derhalve vier wieken, samen het *wiekenkruis* of *gevlucht* geheten. De lengte van een roede wordt de *vlucht* genoemd. Des te groter de vlucht des te meer vermogen de molen kan leveren.
    Dit wiekenkruis is gestoken in een zware gietijzeren of soms houten as, welke aan de voor- en achterzijde is gelagerd in een steen die een ronde uitholling aan de bovenzijde bezit, waarin de as kan draaien. Deze as wordt *bovenas* genoemd.
3. Om deze as is in de molen een groot wiel aangebracht, voorzien van houten tanden, *kammen* genaamd. Dit wiel heet het *bovenwiel*. Alle kammen in een wiel te zamen noemt men een *gang* kammen.
4. Om het bovenwiel ligt een krans van houten blokken die te zamen de rem vormen, de *vang* genaamd welke door middel van hefboomwerking kan worden bediend. In het midden van de molen staat een verticale spil, welke zowel aan de boven- als onderzijde is gelagerd met een ijzeren verticale pen,

De energiebron van de
windmolen is de wind.

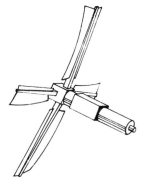

Het wiekenkruis is gevat in de bovenas,
vangt de wind op en laat de bovenas
draaien.

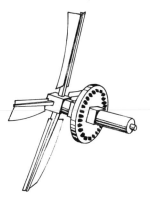

Om de bovenas zit het bovenwiel dat
met de bovenas meedraait.

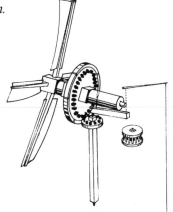

Door middel van een overbrenging
laat het bovenwiel de koningsspil
draaien.

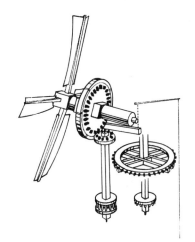

Aan de koningsspil zitten één of meer
raderen die de werktuigen aandrijven.

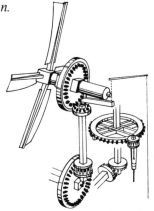

Bij de watermolen wordt zo het
wateropvoerwerktuig aangedreven
en bij de andere molens de andere
werktuigen.

17

de *taats* genaamd, en zo kan draaien. Deze spil, de *koningsspil*, heeft aan de bovenzijde een wiel, dat met zijn kammen in die van het bovenwiel grijpt en aldus de draaiende beweging van het wiekenkruis overbrengt op de koningsspil.

5. Dit wiel heet de *bovenbonkelaar*. Soms heeft dit wiel geen kammen, maar bestaat het uit twee schijven met daartussen verticaal staande stokken, *staven* genaamd. Het heet dan *bovenschijfloop*. Een schijfloop heet ook wel *rondsel*. De aldus voortbewogen koningsspil heeft aan de onderzijde een *onderbonkelaar* of *onderschijfloop* welke op zijn beurt het werktuig dat de molen moet aandrijven, voortbeweegt. Dit gebeurt doordat dit wiel ook weer een wiel aandrijft, waaraan het betreffende werktuig vastzit. Via verdere overbrengingen kunnen zo ook nog andere werktuigen worden aangedreven, maar soms is dat niet nodig.

6. Tot zover is de werking van de meeste windmolens gelijk. Het werktuig komt uiteraard overeen met het doel waarvoor de molen is gebruikt. Zo drijft een watermolen bijv. een vijzel of een schéprad aan om water op te malen en een korenmolen één of meer stenen om koren te malen, terwijl een houtzaagmolen zagen aandrijft om hout te kunnen zagen.

Op de inrichting en werking van deze molens komen we echter straks uitvoerig terug.

Het door de wieken aangedreven geheel van assen, wielen, spillen en werktuigen noemt men het *drijfwerk* of *gaande werk*.

Bezien we nu eerst de molen naar aanleg.

DE GRONDZEILER

In de polders en de vlakke weilanden heeft men van windbelemmering meestal geen last en de molens daar zijn dan ook doorgaans op de begane grond gebouwd; men kan ze dus vanaf de grond bedienen, het zijn *grondzeilers*. De meeste grondzeilers zijn gebouwd als watermolen of als korenmolen, soms als pelmolen. De waterschapsbesturen zagen er nauwlettend op toe, dat geen windbelemmerende elementen in de nabijheid van de molens werden opgericht en zij hadden hiertegen ook strenge bepalingen vastgesteld in de waterschapskeur. Deze keur regelde ondermeer de afstand van de bebouwing en beplanting tot de windmolen.

De koren- en pelmolens werden alleen als grondzeilers opgericht als de windvang zodanig was, dat een hoge molen niet nodig bleek. Een opmerkelijk voorbeeld is de grondzeiler te Goedereede, waar inwendig geen verbinding bestaat tussen de begane grond en de eerste verdieping. Waarschijnlijk was beneden eertijds een woning en wilde men de ruimte van een trap uitsparen. Aan de buitenzijde bevinden zich tegenover elkaar twee houten trappen om de maalzolder te kunnen bereiken.

Grondzeilers komen overal in ons land voor, met een zwaartepunt in het noorden en westen vanwege de vele watermolens aldaar.

DE BERG- OF BELTMOLEN

De berg- of beltmolens komen meer op de hogere gronden van ons land voor: zij houden als het ware het midden tussen de stellingmolen (hierna te behandelen) en de grondzeiler. De molen is gewoon op het maaiveld opgericht en wordt meestal tot de eerste zolder (ca. 3.00 m) aangevuld met een met gras begroeide aarden omwalling.
De molenberg die dan is ontstaan, is voorzien van een inrit met gewelf overkluisd en in Noord-Brabant duidelijk de *toog* genoemd. Soms heeft de berg aan de overkant van de inrit een zelfde constructie als uitrit. Hierdoor kan met paard en wagen worden binnengereden, waarna onder de luiluiken de aange-

Een veel voorkomende naam is 'De Hoop', zo ook van deze belt- of bergmolen te Den Hout bij Oosterhout (N-B). De staart is voorzien van een kruilier. Van de korte spruit loopt aan weerszijden een ijzeren stang naar de lange schoren om doorzakken van de laatste te voorkomen. Kenmerkend voor zuidelijke molens is de versierde aftimmering onder de korte spruit.

19

voerde zakken graan worden opgepikt en men met de lege wagen aan de andere kant de berg uitrijdt. Overigens heeft de molenberg dezelfde functie als de stelling en is ten behoeve van het kruien voorzien van een ring van (meestal 12) kruipalen, waarover aanstonds meer. Het voordeel van zo'n molenberg is nog dat zij minder onderhoud vergt dan de houten stelling. In de twintigste eeuw kwam het wel voor, dat de molenaar door toenemend ruimtegebrek de berg geheel of gedeeltelijk verving door een loods ter hoogte van de berg. Het platte dak werd dan gebruikt om vandaar af de molen te bedienen. Enigszins ten onrechte worden grondzeilers die op een verhoging in het landschap gebouwd zijn, ook wel betiteld als berg- of beltmolens, hoewel de ruimte in de berg hier ontbreekt. De berg- of beltmolen is meestal een houten achtkante molen of een ronde stenen molen en wordt meestal gebruikt als korenmolen, soms mede uitgerust met een pelsteen.

De berg- of beltmolen komt voornamelijk voor in het zuiden en oosten van ons land.

DE STELLINGMOLEN

De stellingmolen is vanuit de verte al heel gemakkelijk te herkennen: hij rijst hoog boven de bebouwing uit, de forse torenflats van tegenwoordig dan buiten beschouwing gelaten! De hoogste ooit in Nederland gebouwd, was de ronde stenen korenmolen 'Vrede en Hoop' te Princenhage uit 1898, die 38 meter hoog was (van de grond tot aan de kap). Hij werd in 1927 ontakeld tot de nog bestaande romp. De hoogste nu nog compleet aanwezige is de brandersmolen 'De Walvisch' te Schiedam met 33 meter. Korenmolen 'De Leeuw', die van 1735 tot 1868 op het bolwerk Westerblokhuis te Amsterdam stond, was 35 meter hoog. Hij was de enige Amsterdamse geheel van steen opgetrokken bolwerksmolen.

Door de behoefte aan nog meer werk- en opslagruimte ging men in het begin van de 17de eeuw over tot het bouwen van deze hoog opgetrokken molens; zij konden over de bebouwing heen de wind vangen en men was niet meer gebonden aan de buitenzijde van de stad, waar reeds de walmolens waren gezet. Ook in de dorpen had de hoge molen zin, want daar was het de groenaanplant die, naast de huizen, belemmerend werkte op de windtoevoer en ook daar kon men de grote ruimte in de molen zo goed gebruiken.

Bij deze hoge molens moet er een bijzondere voorziening worden gemaakt om de molenaar in staat te stellen bij de wieken te kunnen komen om de zeilen voor te leggen of te verminderen, het kruirad te kunnen draaien en het vangtouw te bedienen. Deze voorziening bestaat uit een rondgaand plankier met leuning dat rondom de molen is aangebracht, de *zwichtstelling, balie, galerij, gaanderij* of *omloop* met stellinghek. Daar wordt de kap rondgekruid en in plaats van de kruipalen die anders in de grond staan, gebruikt men nu de liggers van de stelling om daaraan met behulp van een paar haken de kruiketting telkens vast te maken.

20

In het buurtschap Bouweind bij Ommen staat de korenmolen 'De Lelie' uit 1846. Na bijna door verwaarlozing te zijn gesneuveld, wist de gemeente Ommen hem van de ondergang te redden, zodat er nu weer een fraaie molen aan het Overijsselse bestand is toegevoegd.

De omloop of galerij beheerst het uiterlijk van deze molens geheel en men spreekt soms dan ook wel van een galerijmolen. De gebruikelijke naam is echter stellingmolen. Het zijn geweldige bouwsels, die we zo goed kennen als industriemolens. Men krijgt eerst pas werkelijk een juiste indruk van hun hoogte als men ze ziet te midden van de stadshuizen, zoals te Schiedam de brandersmolens, die graan maalden voor de jeneverstokers.
Slechts zelden komt het voor, zoals in de polder Beneden-Haastrecht bij Gouda, een wipwatermolentje met stelling te Joure en een achtkante bovenkruierwatermolen te Langweer (Fr), dat een stellingmolen de functie van watermolen heeft.
Het type van de stellingmolen kan verschillen. Er zijn achtkante en zeskante houten stellingmolens, maar ook ronde of veelkante stenen, en wipmolens met stelling. De stellingmolen komt in het gehele land voor.

DE STANDERDMOLEN

Bij de standerdmolen of standaardmolen bestaat het eigenlijke molenlichaam, het molenhuis uit een grote vierkante *kast* die, om een zware houten spil – de *standaard* of *standerd* – kan draaien. De voor- en achterzijde van het huis zijn smaller dan de zijkanten ten einde zo weinig mogelijk wind te vangen en binnen toch voldoende ruimte te hebben. Het draaien is nodig om bij elke windrichting de wieken recht op de wind te kunnen zetten.

De standerd rust op een onderstel, bestaande uit zware dubbele schoren (de *steekbanden*) en op twee zware balken, de *kruisplaten* die rusten op gemetselde blokken, de *stiepen* of *teerlingen*. Aldus wordt de standerd tevens in zijn verticale stand gehouden.

De kast staat een eind boven de begane grond, want de wieken moeten een zekere lengte hebben om flink hoog in de lucht te komen om voldoende vermogen te kunnen leveren. De winddruk drijft niet alleen de wieken rond, maar veroorzaakt ook een naar achteren gerichte druk op het wiekenkruis en daarmede ook op het gehele molenhuis. Deze druk wordt hoofdzakelijk opgevangen door de spil, soms gesteund door de staartconstructie. Aan de achterzijde van de molen gaat van het huis naar beneden een brede houten trap; verder is er een zware staartbalk die – verbonden aan het raamwerk van het grondvlak van de houten kast – van daar naar achteren loopt. Deze staartbalk loopt tussen

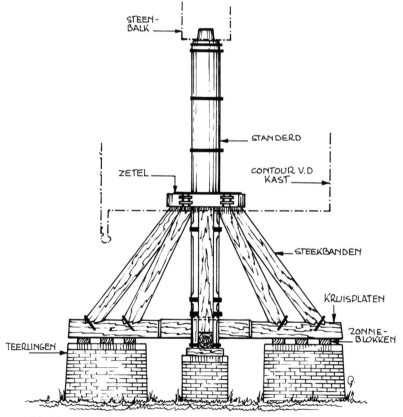

De zonneblokken voorkomen het contact tussen de kruisplaten en de teerlingen, waardoor rotting wordt tegengegaan.

22

twee traptreden en de beide trapbomen door en is dan, ietwat naar omlaag gebogen, aan het einde door middel van twee staande houten balken stevig verbonden met het uiteinde van de trap. Onderaan de trap is ook de kruias met kruihaspel te bedienen. Rond de molen staan meestal 12 palen in de grond, de zgn. *kruipalen*. Hiermee kan de molen rondgedraaid worden (rondgekruid zegt de molenaar). De molen wordt op de wind gezet – *gekruid* – door de staart aan één zijde met een ketting of kabel vast te zetten aan een kruipaal en vervolgens de kruihaspel op te winden. Daarna verzet men de ketting of kabel naar een volgende paal tot de molen op de gewenste richting staat. Staat de molen goed, dan wordt een tweede ketting (de zgn. *bezetketting*) aan de andere zijde van de staart eveneens aan een kruipaal bevestigd en strak getrokken, zodat de molenstaart tussen twee kruipalen vaststaat. Alle grondzeilers en berg- of belt-molens worden zo gekruid, behalve de binnenkruier die boven in de kap wordt gekruid, waarover later meer.

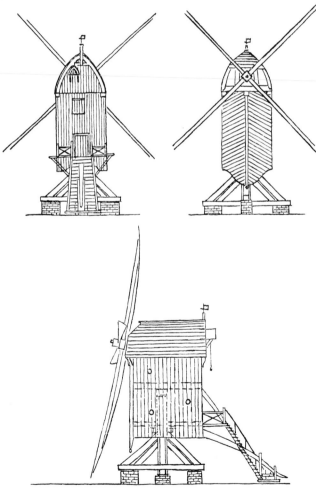

Uiterlijk van de standerdmolen.

23

Het zwaar geconstrueerde samenstel van trap en balken vormt een tegenwicht tegenover het grote gewicht van de as en de roeden, zodat dit tegenover elkaar is uitgebalanceerd. Het molenhuis kan langs de trap van de begane grond af worden bereikt.

In de eenvoudigste uitvoering is het dragende stel kruisplaten met schoren open; men spreekt dan van een *open standerdmolen*. Is het ondergedeelte afgedekt dan is daardoor het samenstel dezer balken beschermd tegen weer en wind en is tevens een soort primitief bergplaatsje of schuurtje ontstaan; de molen heet dan *half gesloten standerdmolen*. Wanneer het ondergedeelte geheel afgedicht is spreekt men van een *gesloten standerdmolen*.

Aan de achterzijde van het molenhuis bevindt zich een balkonvormige uitbouw met leuning waar de trap uitkomt; daar vindt men de deur om het molenhuis binnen te gaan. Boven de deur een flink vierkant luik dat het gat afsluit waardoor de zakken met graan naar binnen of naar buiten worden gevoerd; aan de top van de achtergevel een uitgebouwd dakkapelletje of luifeltje, al naar gelang de streek waarin de molen voorkomt, dat het *luiwerk* – voor het hijsen en vieren van de zakken met inhoud – beschermt tegen weer en wind.

Het luiwerk is een houten as, die binnen in de molen kan worden gekoppeld met het bovenwiel en buiten de kap aan de achterzijde uitsteekt. Met behulp daarvan kan men op eenvoudige wijze met de windkracht de zakken ophijsen, waarover later meer.

In de zijkanten van het molenhuis zijn een paar windgaten, die door luiken kunnen worden afgedicht. Wanneer de wind door zo'n gat gaat spelen, wordt de molenaar erop attent gemaakt dat de wind van richting is veranderd en hij de molen moet gaan verkruien. De voorkant van het huis, de *borst* genaamd, is meestal in het midden versierd met een smalle verticale regel, de *naald* en aan de onderkant afgewerkt langs een sierlijk gebogen lijn.

De standerdmolen is altijd grondzeiler. Vroeger hebben er bij grote steden wel stellingstanderdmolens gestaan, doch deze zijn in de loop der 17de eeuw alle vervangen door de grotere en sterkere stenen of houten bovenkruiers. Eén stellingstanderdmolen is nog te zien te Ghistel (West-Vlaanderen, België). Deze is overigens gebouwd op de romp van een half afgebroken stenen molen. Dit is het enige exemplaar van dit type dat nog bestaat.

Een standerdmolen is altijd korenmolen, soms mede uitgerust met een pelsteen om gerst tot gort te pellen. Vroeger hebben er ook oliestanderdmolens bestaan, die olie sloegen uit oliehoudende zaden. Een voorbeeld is nog te zien in Brugge (West-Vlaanderen, België).

Ofschoon de standerdmolen door heel het land voorkwam, heeft dit type zich het best gehandhaafd in het zuiden en oosten van ons land. In totaal zijn er thans niet meer dan een veertigtal standerdmolens in ons land overgebleven en we dienen er dus zeer zuinig op te zijn. Mooie exemplaren vinden we in Noord-Brabant bijvoorbeeld in Nistelrode en Uden, in Gelderland te Nederasselt en de Doesburgse molen bij Ede, in Zeeland te Retranchement en in St.-Annaland. Er bevindt zich ook een goed voorbeeld in het Nederlands Openlucht

Een voorbeeld van een half gesloten standerdmolen is 'Aurora' te Baexem (L). De molen is half gesloten, omdat de steekbanden wel, maar de zijkanten van de teerlingen niet omsloten zijn. De molen ligt bijzonder fraai in het landschap. Het balkon bij de staart is overdekt.

Een tafereel zoals men in de zeventiende eeuw veelvuldig moet hebben aangetroffen, vindt men weer in het geheel gerestaureerde en gereconstrueerde vestingstadje Heusden (N-B). De open standerdmolens zijn daar in 1971 resp. 1973 op historische plaatsen nieuw geplaatst; de voorste met onderdelen van een molen uit Lommel (België), de achterste geheel nieuw, evenals een derde, die op de foto achter de huizen verborgen blijft.

Museum te Arnhem, afkomstig uit Huizen (N-H), maar het meest spreken zij tot ons in hun eigen natuurlijke omgeving. Er zijn er ook nog twee in het Groninger land, en wel te Ter Apel, afkomstig uit de vesting Bourtange, terwijl in 1980 een nieuwe standerdmolen in dit vestingstadje is verrezen. Ook het gerestaureerde vestingstadje Heusden (N-Br) telt thans weer drie (open) standerdmolens.

DE WIPMOLEN

Uit de standerdmolen is de wipmolen ontwikkeld. Het vierkante draaibare bovendeel van de molen is nu betrekkelijk klein geworden; het piramidevormig ondergedeelte is naar verhouding groot. Het eerste behoeft niet meer te bevatten dan de bovenas met bovenwiel, rem (vang) en bovenbonkelaar of bovenschijfloop, die de koningsspil doet draaien.

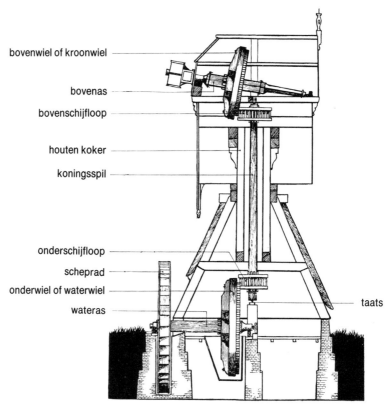

De overbrenging van de beweging van bovenas naar scheprad. Het bovenwiel heeft 68 kammen (d.i. tanden), de bovenschijfloop 35 staven, de onderschijfloop 23 staven, het onderwiel 95 kammen, zodat de bovenas 2,12 omwentelingen moet maken om het scheprad 1 volle omwenteling te doen maken. De aantallen kunnen enigszins verschillen.

De koningsspil loopt in het midden van de molen verticaal van boven naar beneden en rust met zijn taats op het onderstel. Om de koningsspil bevindt zich de zware *koker* die van boven is voorzien van een samenstel van balken, de zogenaamde *zetel*, waar de draaibare kap op rust.

In of tegen het piramidevormig onderhuis, de *ondertoren* geheten, bevindt zich het aan te drijven werktuig.

Meestal is dit een scheprad om het water op te voeren, soms ook een vijzel. Het scheprad is meestal buiten de ondertoren opgesteld en wordt van daaruit door middel van een as aangedreven. Bij de vijzel bevindt zich alleen het bovenste gedeelte in de ondertoren dat daar voorzien is van een kamrad ter aandrijving. Het grootste gedeelte van de vijzel steekt schuin uit het onderhuis tot in het water. De wipwatermolen wordt later uitvoerig besproken.

Ofschoon de meeste wipmolens watermolens zijn, worden ze soms ook gebruikt voor andere doeleinden. Zo zijn er nog twee wipkorenmolens bewaard gebleven te Weesp resp. Hazerswoude-Dorp. Vroeger waren er ook grote wipzaagmolens, wipspecerijmolens, wipoliemolens en wipverfmolens. De meeste van deze molens stonden dan op een schuur of het waren stellingmolens al of niet met een schuur erbij gebouwd. Bij de wipkorenmolens kwamen ook grondzeilers voor. Daar stond het koppel stenen in de ondertoren opgesteld.

De meeste wipindustriemolens zijn in de loop van de 17de en 18de eeuw vervangen door de meer werkruimte biedende bovenkruiers.

Als watermolen heeft de wipmolen zich echter goed kunnen handhaven, vooral in Friesland (als spinnekop, zie hieronder), Zuid-Holland, westelijk Utrecht en

Een fraai in het polderland gelegen molen is de wipschepradmolen van de polder Neder-Heicop te Hei- en Boeicop (Z-H). Het kleine zomerhuisje vormt een fraai geheel met de molen en het omringende water en rietland. Een fraai detail is de afwerking van het bovenlicht van de toegangsdeur.

Noordwest-Brabant. In de Zuidhollandse Waarden en het aangrenzende Brabantse Land van Heusden en Altena heeft de wipwatermolen zich zelfs als
overheersend type weten te handhaven tot de komst der motorbemaling.

DE SPINNEKOP

Behalve de kloeke watermolens die zo'n vijftig à zestig kubieke meter water per
minuut verzetten en de wipmolens die we kennen in grote en minder grote
uitvoering, bestaat er nog een soort kleine wipmolen, bekend onder de naam
spinnekop, een molen die een betrekkelijk klein vermogen heeft en meestal
uitgerust is met een vijzel. De bouw en de inrichting van deze molen tonen veel
overeenkomst met de wipmolen. De spinnekoppen komen voornamelijk voor in
Friesland en het vaste ondergedeelte is daar soms met dakpannen gedekt.
Omdat er niet in wordt gewoond, moet er altijd iemand naar de spinnekop
toekomen, vaak over een flinke afstand, om deze te bedienen.

*Twee Friese spinnekoppen bij Wirdum nabij Leeuwarden. Zoals de meeste
kleine molens in ons land, zijn ze uitgerust met een houten bovenas en houten
roeden, in tegenstelling tot de grotere, die meestal een gietijzeren as en ijzeren
roeden hebben. In tegenstelling tot de wipmolens in de andere provincies, ontbreekt bij de Friese spinnekop steeds de makelaar achter op de kap.*

28

De vlucht van de spinnekop is zelden groter dan veertien meter. Het kleinere type wipmolen kwam ook wel als stellingmolen voor voor verschillende doeleinden. In Rijnsaterwoude en Wedderveer staan nog twee zaagmolentjes van dit type. De naam spinnekop wordt meestal alleen gebruikt voor de kleine wipwatermolentjes in Friesland, Groningen en Noordwest-Overijssel. In de laatste twee gebieden komen er momenteel echter niet meer voor.

HET WEIDEMOLENTJE OF AANBRENGERTJE

Het kan wel eens voorkomen dat in een polder enkele percelen land om een of andere reden extra moeten worden bemalen. Daartoe is dan nog een veel kleiner molentje voldoende en past men een weidemolentje of aanbrengertje toe. Dit behoeft het water niet op het buitenwater uit te malen doch loost het op een van de poldersloten van het omringende land. Het is een nog kleiner wipmolentje dan de spinnekop en het behoeft weinig of geen bediening. De weidemolentjes zijn in de loop van de negentiende eeuw in zwang gekomen en komen heden ten dage nog in vrij grote aantallen voor in de provincie Noord-Holland.

Aan de achterzijde van de draaibare kop bevindt zich een grote vlakke windvaan. Deze stelt zich vanzelf in de richting van de wind en zorgt ervoor dat het molentje altijd goed op de wind staat, men noemt dit *zelfkruiend*. Het vaste ondergedeelte is een afgedekte lege ruimte; het molentje is met kap en al doorgaans niet hoger dan drie à vier meter boven de begane grond en heeft een dienovereenkomstig kleine vlucht (3-7 meter). Het wateropvoerwerktuig is een eenvoudige waaier, *roerom* genaamd, uit hout vervaardigd, die het water verticaal omhoog brengt.

Dit werktuig werd in 1840 door de Zaandamse molenmaker Hendrik Verdonk uitgevonden. Bij grote molens is het geen succes geworden, doch bij kleine weidemolentjes heeft het erg veel toepassing gevonden. Deze molentjes werken met één overbrenging (in de kap) daar de blaadjes die de waterschroef vormen, aan de onderzijde van het koningsspilletje zijn bevestigd.

De wieken kunnen belegd worden met zeiltjes of houten bordjes om meer wind te vangen.

In latere jaren werd in plaats van het weidemolentje gebruik gemaakt van kleine ijzeren windmotoren met pomp. Na de Tweede Wereldoorlog is een

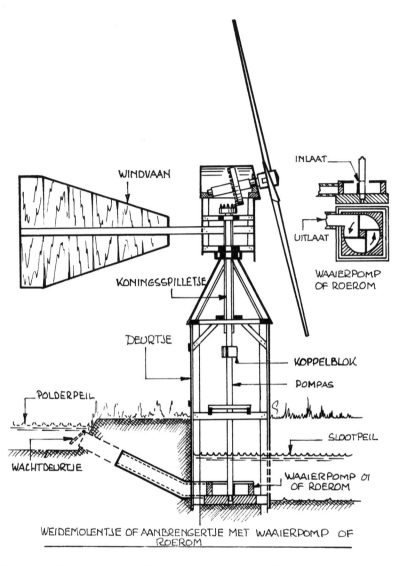

WINDVAAN

INLAAT

UITLAAT

WAAIERPOMP OF ROEROM

KONINGSSPILLETJE

DEURTJE

KOPPELBLOK

POMPAS

POLDERPEIL

SLOOTPEIL

WACHTDEURTJE

WAAIERPOMP OF ROEROM

WEIDEMOLENTJE OF AANBRENGERTJE MET WAAIERPOMP OF ROEROM

Het deurtje dient ervoor om bij het onderste gaande werk te kunnen komen. Het koppelblok verbindt het koningsspilletje met de pompas, waarmee de waaierpomp is verbonden.

verbeterd type weidemolentje in zwang gekomen, dat een goede concurrent vormt voor de ijzeren windmotoren. Dit werd ontwikkeld door de gebroeders Rem te Wormer (N-H) en een ander verbeterd type door molenmaker A. Wagemaker te Oostwoud (N-H).
Teneinde de kosten laag te kunnen houden maakt men ze tegenwoordig in een meer moderne uitvoering, waarbij toch geheel de oude karakteristieke vorm is aangehouden. Het onderstuk is van beton en vereist dus weinig onderhoud. Op deze betonnen onderbouw staat het piramidevormige huis, vervaardigd van

Een goed voorbeeld van een zelfkruiend (onverbeterd) weidemolentje of aan-brengertje. Dit staat in de Kalverpolder bij de Zaanse Schans te Zaandam. Zelfs bij deze kleine wipmolentjes ontbreekt de makelaar achter op de kap niet! Het hek dient ervoor dat het vee geen 'klap van de molen' zal krijgen. De wiekjes kunnen belegd worden met twee houten bordjes per wiek in plaats van met zeiltjes, hetgeen bij dit type molentje gebruikelijk is.

hout en aan de bovenzijde voorzien van een kruiwerk dat op kogellagers loopt. De wieken hebben alleen windborden, geen zeilen.

De draaibare kop stelt zich dus zeer gemakkelijk op de wind; daarvoor zorgt weer de bekende grote windvaan aan de achterzijde en alles loopt heel licht. De uitvoering van de windvaan heeft bij deze moderne molentjes als bijzonderheid een stormbeveiliging: bij stormachtige wind klapt de vaan geheel om, tegen de werking van een veer in, en stelt daarmede het wiekenkruis uit de wind. De molen gaat dan stilstaan en kan geen stormschade oplopen. Wanneer de storm voorbij is dient de vaan weer in zijn oorspronkelijke stand te worden terugge-steld, hetgeen met de hand moet geschieden. Overigens vereist dit molentje geen enkel toezicht; alles loopt zo licht – bovenas zowel als koningsspil lopen op moderne lagers – dat de wieken geen zeilen of houten bordjes behoeven te voeren. De enkele malen dat iemand bij het molentje moet komen om de vaan vrij te maken, geven voldoende gelegenheid om te controleren of alles nog geheel in orde is.

Het weidemolentje is hoofdzakelijk beperkt gebleven tot de provincie Noord-Holland.

31

DE TJASKER OF JASKER

De tjasker of jasker is een molentje van klein kaliber, dat voornamelijk gebruikt werd en wordt voor de onderbemaling van betrekkelijk kleine stukken land en voor de bevloeiing van rietland en tegenwoordig ook voor kleine stukjes natuurgebied.

Het is het enige molentype dat rechtstreeks werkt en dus geen overbrengingen kent. De eigenlijke tjasker bestaat uit een as van 5 à 8 meter lengte, die aan de bovenzijde is voorzien van een askop waardoorheen de twee roeden zijn gestoken. Aan de onderzijde is deze as voorzien van een houten beschoeping, die de vijzel vormt. Met deze vijzel wordt het water opgemalen. (Voor de beschrijving van de vijzel zie men het hoofdstuk over de windwatermolen). In tegenstelling tot de vijzels bij de andere watermolens draait deze te zamen met een rondom de vijzel gemaakte houten koker, de ton genaamd. Vijzel en ton vormen dus één geheel. In feite is de tjasker dus een tonmolen op windkracht.

Achter het wiekenkruis bevindt zich een wieltje waarom heen de vang (rem) is gelegen. Deze bestaat uit een ijzeren strip die om het vangwieltje ligt. Aangezien de vang een band vormt, noemt men dit een *bandvang*.

Aangezien de tjasker zonder overbrengingen werkt ontbreken hier natuurlijk de voor de overbrenging noodzakelijke tanden (kammen). Achter het vangwieltje bevindt zich meestal nog een wieltje met een gekartelde omtrek. Dit wieltje dient met een in die gekartelde omtrek passend beweegbaar balkje, de *pal* geheten, om achteruitdraaien van de tjasker te voorkomen. Zou de wind de molen nu van achter treffen dan valt deze pal in één van de gekartelde delen van het palwiel omdat de wieken achteruit willen gaan draaien en voorkomt op deze wijze het achteruitdraaien van het molentje.

De tjasker is, met de paltrok, het enige molentype dat in zijn geheel wordt gekruid (op de wind gezet). Dit kruien nu kan op twee manieren geschieden en naar de manier waarop dit gebeurt onderscheidt men twee soorten tjaskers die er bestaan: de *paaltjasker* en de *boktjasker*.

De paaltjasker

Bij dit type staat de tjasker opgesteld op een verticaal staande en geschoorde paal (vandaar de naam) waaromheen de molen draaibaar is d.m.v. een draaipunt dat zich op de bovenzijde van de paal bevindt. De eigenlijke molen is bevestigd in een raam van balken die evenwijdig met de as lopen. De vijzel met de ton zijn van onderen draaibaar in het raam bevestigd. Dit raamwerk is ongeveer halverwege voorzien van een houten steun waarmede de onderzijde van de tjasker op het schuine talud van de sloot steunt, waaruit de molen zijn water onttrekt. Deze steun zit vast aan het raam, maar steunt los op het talud, omdat de molen anders niet te verkruien zou zijn. Geheel onderaan zit een ketting waarmee de gehele molen kan worden rond getrokken, om zo op de wind te worden gezet.

Aan de bovenzijde van de vijzel bevindt zich een schuin gestelde houten afvoer-

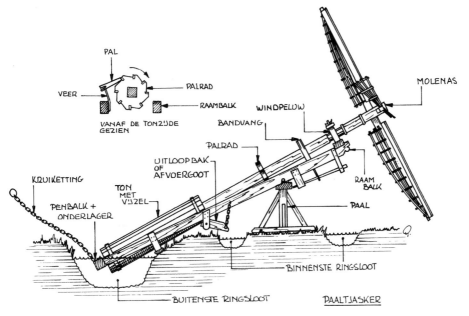

PAL
VEER
PALRAD
RAAMBALK
VANAF DE TON2IJDE GEZIEN

MOLENAS

WINDPELUW
BANDVANG
PALRAD
UITLOOPBAK OF AFVOERGOOT
RAAM BALK
KRUIKETTING
TON MET VIJZEL
PAAL
PENBALK + ONDERLAGER

BINNENSTE RINGSLOOT

BUITENSTE RINGSLOOT

PAALTJASKER

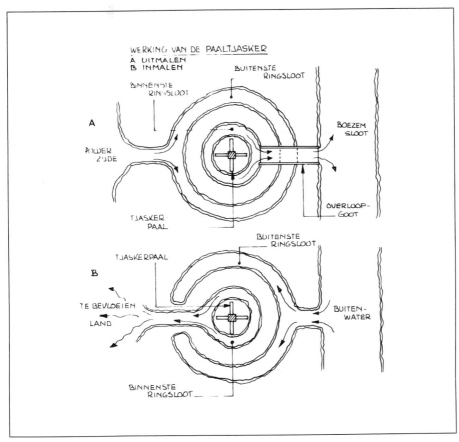

WERKING VAN DE PAALTJASKER
A UITMALEN
B INMALEN

BINNENSTE RINGSLOOT
BUITENSTE RINGSLOOT
BOEZEM SLOOT
A
POLDER ZIJDE
OVERLOOP-GOOT
TJASKER PAAL

BUITENSTE RINGSLOOT
TJASKERPAAL
B
TE BEVLOEIEN LAND
BUITEN-WATER
BINNENSTE RINGSLOOT

goot waarlangs het opgemalen water uitgestort wordt in een rond de paal gegraven ringslootje, van waaruit het via andere sloten verder wordt afgevoerd. Dit kan geschieden door middel van een gegraven slootje. In dat geval kan de ringsloot niet geheel worden rond gegraven. Is de ringsloot wel geheel gegraven, dan leidt men het opgemalen water via een houten of betonnen goot af. Er is dan een klein aquaduct, als het ware een 'bruggetje' waarover het water wordt gevoerd. (Maalt het molentje water in, dan spreekt het vanzelf dat het opgemalen water dan via het genoemde ringslootje wordt aangevoerd).

De oudste tjasker staat in het Nederlands Openluchtmuseum te Arnhem en dateert van omstreeks 1875. Deze is de op één na oudste en staat nog op zijn oorspronkelijke plaats in het Heidenschap bij Workum. Hij doet nog steeds dienst en dateert uit 1915. De overloopgoot (het aquaduct) is niet zichtbaar en bevindt zich aan de andere zijde van het eilandje, waarop de molen rust.

De boktjasker

De eigenlijke tjasker is bij deze soort precies hetzelfde als bij de paaltjasker. Het verschil ligt, zoals we boven al zagen, in de wijze van verkruien.

Bij dit type ligt het eigenlijke molenlichaam op een bokvormig onderstel dat wat vorm betreft, ongeveer te vergelijken is met een schildersezel. Door enkele verbindingsbalken ontstaat een stevig geheel. Dit is verbonden met de langsbalken, het al genoemde raam, waarin het eigenlijke molentje is gevat.

De bok rust op een stel wieltjes waarmee de molen langs een cirkelvormige kruibaan van hout of beton kan worden rondgedraaid.

Uit de wijze van kruien volgt, dat bij de paaltjasker het vaste draaipunt is gelegen op het boveneinde van de paal, terwijl het raam een los steunpunt heeft op het talud van de sloot. Bij de boktjasker daarentegen, is het raam draaibaar bevestigd op een vast punt in de sloot, bestaande uit een balkje met een draaipunt, terwijl de bok zijn los steunpunt vindt in de vorm van de wieltjes en de kruibaan.

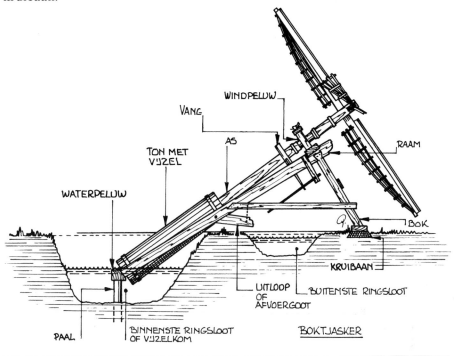

BOKTJASKER

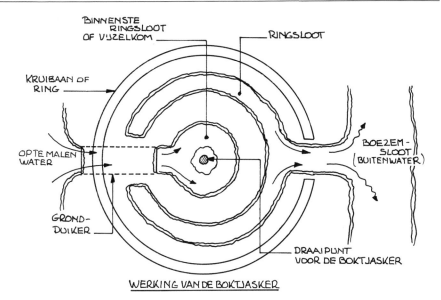

WERKING VAN DE BOKTJASKER

35

De tekeningen verduidelijken trouwens een en ander wat de constructie en de werking van beide molentypen betreft.

Nadat de tjasker bijna was uitgestorven beleeft dit type sinds 1963 weer een opleving. Een aantal van de thans bestaande tjaskers is in gebruik voor de bevloeiing van rietland of voor het op peil houden van kleine stukjes natuurgebied in ruilverkavelingen. Zij worden dus gebruikt voor inmalen.

De vlucht van de meeste tjaskers ligt tussen de 5 en 6 meter. Kleine hadden een vlucht van 4 meter en grote haalden soms 8 meter.

In het natuurreservaat De Bonne Brekken bij Wyckel, niet ver van Sloten (Fr), staat deze boktjasker. De kruibaan is links van de molen in het hoge gras nog flauw te onderscheiden. Dit molentje maalt water in het natuurgebied. Het dateert uit 1976.

Uit de beschrijving zal het duidelijk geworden zijn, dat dit molentype voor het allergrootste gedeelte uit hout is gebouwd. Het weinige ijzerwerk beperkt zich voornamelijk tot beslagbanden rond de vijzelton, dito op de vijzel, de met ijzer versterkte hoeken van het palwieltje, de bandvang en de zogenaamde *schenen*: dit zijn ijzeren strippen in de langsrichting van de as aangebracht ter plaatse waar deze is gelagerd. Zij voorkomen slijtage van de houten as, die door het draaien zou optreden. Dergelijke schenen vindt men overigens ook bij de houten assen die in andere molentypen voorkomen. Ze zijn verzonken in het hout bevestigd, zodat ze met het hout op gelijke hoogte liggen.

Over de oorsprong van de tjasker tasten we in het duister, maar het soort schijnt al meer dan 400 jaar oud te zijn. Het is inheems te noemen in Friesland, Noord-west-Overijssel, Groningen en de veenkoloniën van Drenthe en in het aan Groningen grenzende Duitse Oost-Friesland. De tjasker komt echter in de drie laatst genoemde gebieden niet meer voor (of moeten we zeggen nog niet weer?).

Buiten onze noordelijke provincies kwamen tjaskers sporadisch voor, meestal door verkoop per advertentie van noordelijke molenmakers.

Buiten het eigenlijke verspreidingsgebied staat er een in het Nederlands Openluchtmuseum te Arnhem en staat er thans ook een aan de Gaasperplas bij Amsterdam.

DE TORENMOLEN

Aan het einde van de 14de en in de eerste helft van de 15de eeuw kwam de torenmolen tot ontwikkeling. Hij werd geheel uit steen opgetrokken en voorzien van een draaibare, met riet of hout gedekte kap. De oudst bekende is die van Huissen, die tussen 1373 en 1386 werd gebouwd. In het oosten van ons land zijn er dertien geteld, die aansluiten bij de torenmolens in het hertogdom Kleef. Ook elders in ons land kwamen ze voor, maar hun totale aantal is nooit groot geweest. Er staan er nu nog in Gronsveld (L), Lienden, Zeddam en Zevenaar (Gld) en een romp bij kasteel Well in Noord-Limburg.

Een zuivere torenmolen is die te Zeddam, vanouds behorende tot de goederen van het Huis Bergh en daterend uit het midden van de 15de eeuw.
De romp is zuiver cilindrisch. Deze en die te Lienden (Gld) en Zevenaar (Gld) zijn binnenkruiers, die te Gronsveld (L) is een buitenkruier. Nabij de molen staat ook een roskorenmolen, die in bedrijf was als de wind verstek liet gaan.

Er zijn torenmolens met binnenkruiwerk en met buitenkruiwerk.

De mening dat bij voorkeur oude kruittorens tot torenmolens verbouwd werden, is reeds lang achterhaald. Bijna alle torenmolens zijn als zodanig gebouwd, al kunnen enkele verdwenen voorbeelden genoemd worden van torens van een voor verdedigingsdoeleinden in onbruik geraakte stadsmuur, die tot molens werden ingericht zoals de verdwenen korenmolen De Roomolen te Amsterdam en de verdwenen pelmolen op de dito Bijlhouwerstoren te Utrecht.

DE VEELKANTE HOUTEN BOVENKRUIER

Bij de torenmolens draaide, zoals we zagen, alleen het bovenste gedeelte van de molen, de kap. Men noemt deze wijze van kruien ook wel *bovenkruiing* en zulke molens *bovenkruiers*.

De naam bovenkruier is echter meer een soortaanduiding dan een bepaald type. Afgezien van de paltrok en de tjasker die in hun geheel draaien en aparte types vormen, is er geen molen waarvan het bovengedeelte niet gekruid wordt. Men heeft er echter mee willen aanduiden, dat alleen een klein bovenstuk, de kap, wordt gekruid. De naam is zo historisch gegroeid en heeft als zodanig zijn bestaansrecht.

Men bouwde nu de bovenkruier van hout met meestal acht kanten en soms zes kanten (achtkante en zeskante bovenkruier). Er bestaat ook een zestienkante molen in Horn (L). De meeste bovenkruiers kruit men d.m.v. een staart, dus aan de buitenzijde (*buitenkruiers*). Ook zijn er bovenkruiers die, net als bij sommige torenmolens, van binnen worden gekruid (*binnenkruier*). De kap wordt dan boven in de molen aan de binnenzijde gekruid met behulp van een windas met handspaken of een lier. De kruiketting of kabel is hier meestal een dik touw en er wordt door middel van een katrol gekruid. Deze katrol kan bevestigd worden in krammen die in het bovenste deel van het molenlijf zijn aangebracht. De bezetketting om de kap vast te zetten, is ook hier aanwezig. De genoemde krammen vervullen bij de binnenkruier dus dezelfde functie als de kruipalen bij de buitenkruier.

Het steeds naar boven moeten lopen om bij elke verandering van de windrichting de molen te kruien is een voor de molenaar telkens terugkerend en vermoeiend werk. De verdere ontwikkeling van deze grote molens leidde er dan ook aan het eind van de 16de eeuw toe dat men van beneden af de kap kon draaien en wel aan de buitenzijde met behulp van een *staart*. Dit werd de bekende buitenkruier. Hier wordt dus weer gekruid door middel van rond de molen staande kruipalen.

Merkwaardig is wel dat niettegenstaande dit gemak in de behandeling van de buitenkruier, de binnenkruier zich toch tot op de huidige dag ongewijzigd heeft gehandhaafd in Noord-Holland. Buiten de provincie Noord-Holland komt dit

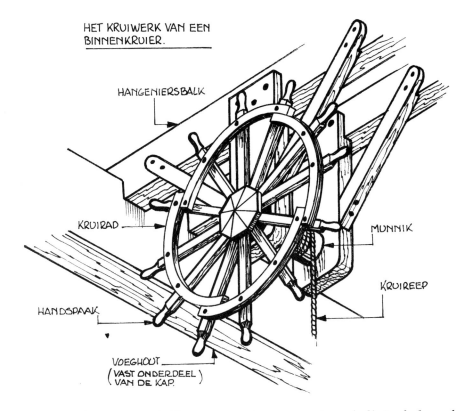

HET KRUIWERK VAN EEN BINNENKRUIER.

HANGENIERSBALK

KRUIRAD

MUNNIK

KRUIREEP

HANDSPAAK

VOEGHOUT
(VAST ONDERDEEL
VAN DE KAP.)

Het kruirad is met een balkenconstructie aan een dwarsbalk in de kap, de hangeniersbalk, bevestigd.
De munnik is de as waaromheen het kruitouw (de kruireep) met haak en katrol draait. De kruikrammen zitten rondom in het molenlijf bevestigd maar zijn op de tekening niet zichtbaar.
Met de handspaken kruit de molenaar de kap om.
Het geheel bevindt zich voor in de kap.

type thans bijna niet meer voor. Wel kan men aan verschillende Zuidhollandse en Utrechtse watermolens nog zien, dat het vroeger binnenkruiers moeten zijn geweest.

Verreweg de meeste binnenkruiers zijn watermolens, doch een enkele keer waren ze als korenmolen ingericht. Er zijn er daarvan twee bewaard gebleven: één te Laren (N-H) en één te Wieringerwaard (N-H) die overigens een verbouwde watermolen is. Buiten Noord-Holland is de molen van de Hondsdijkse polder te Koudekerk aan den Rijn in 1980 weer tot zijn oorspronkelijke vorm van binnenkruier teruggebracht. In Abcoude staat een uit de Zijpe (N-H) afkomstige binnenkruier, ingericht als restaurant.

De ruimte in de kap van de buitenkruier kan kleiner zijn dan bij het Noordhollandse model nodig is, en aan de buitenkant is dat dan ook duidelijk te zien. Het uiterlijk van de Noordhollandse molen is meer massief, doet op het oog zeer

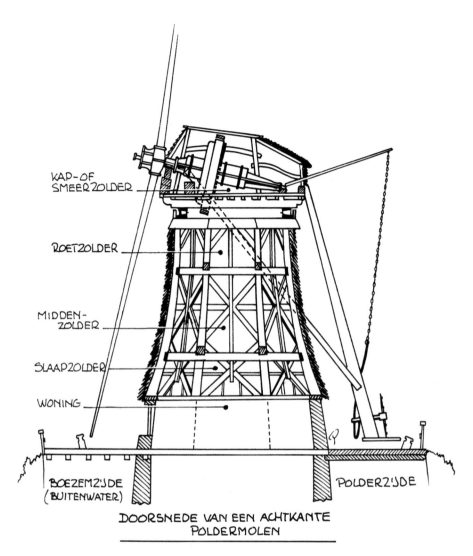

KAP-OF
SMEERZOLDER

ROETZOLDER

MIDDEN-
ZOLDER

SLAAPZOLDER

WONING

BOEZEMZIJDE
(BUITENWATER)

POLDERZIJDE

DOORSNEDE VAN EEN ACHTKANTE
POLDERMOLEN

zwaar aan, maar wel als zeer stoer en krachtig 'uit de kluiten gewassen'.

De buitenkruier heeft niet alleen een kleinere kap, maar is ook meer getailleerd van vorm en dientengevolge veel eleganter, heeft bovendien de kokette staart en geeft door de sierlijk gevormde gebogen lijnen een veel fraaiere indruk; de binnenkruier is voor sommigen altijd wat 'kaal' en stug.

Als verdere uiterlijke verschillen valt nog op te merken dat de Noordhollandse binnenkruier een houten onderstuk heeft dat hoger is afgetimmerd met over elkaar sluitende planken die geteerd of geverfd zijn. Van de meeste boven-kruiers buiten Noord-Holland is het onderstuk wat minder hoog en gemetseld van steen. Van beide typen is de romp doorgaans met riet gedekt.

De beide soorten zijn dus op het oog gemakkelijk van elkaar te onderscheiden. De binneninrichting en de wijze van werken is voor de beide typen vrijwel hetzelfde.

Behalve grondzeilers zijn er ook veelkante houten berg- of beltmolens en dito stellingmolens. De grondzeilers zijn óf watermolen óf korenmolen (al of niet met een pelsteen erbij). De berg- of beltmolens zijn bijna altijd als korenmolen in gebruik (soms met een pelsteen erbij), terwijl de veelkante houten stellingmolen zowel koren- als andersoortige industriemolen kan zijn. Veelkante houten stellingwatermolens hebben ook in beperkte mate bestaan, hiervan rest ons nog een voorbeeld te Langweer (Fr) die tevens korenmolen is. De veelkante houten bovenkruier komt voor in het gehele land met gewestelijke en plaatselijke verschillen in constructie, vorm en versiering.

DE RONDE EN VEELKANTE STENEN BOVENKRUIERS

Er zijn ook molens geheel van steen gebouwd, soms in de vorm van een zeskant of twaalfkant zoals de beide molens van de Drooggemaakte Veender- en Lijkerpolder te Rijpwetering (Z-H), vaak ook geheel rond opgemetseld. Het valt echter niet te verwonderen dat men in ons land met zijn slappe ondergrond de voorkeur gaf aan de molens, gebouwd van hout en gedekt met riet vanwege de goedkopere fundering. Deze zijn veel minder zwaar dan die van de stenen

Korenmolen 'De Keetmolen' nabij het spoorwegstation van Ede is een vertegenwoordiger van het type van een veelkante stenen molen (in dit geval achtkant). De molen is een berg- of beltmolen. De inrijpoort is duidelijk zichtbaar.

molens. Ook bracht het in ons klimaat altijd zijn moeilijkheden mede om een stenen wand goed waterdicht te houden. Het verschil met de torenmolen is, dat deze laatste cilindrisch gebouwd is (dus onder en boven even wijd) en de stenen bovenkruier conisch (dus onderaan breder dan boven). De ronde en veelkante bovenkruier komt door het gehele land voor, de ronde het meest. Ook deze molens komen voor als grondzeiler, berg- of beltmolen en stellingmolen.

De stenen grondzeilers zijn in gebruik als watermolen of korenmolen (soms mede uitgerust met een pelsteen). De berg- of beltmolens zijn bijna altijd korenmolen (al of niet met een pelsteen erbij), terwijl de stenen stellingmolen

Korenmolen 'Rijn en Lek' op de Leuterpoort te Wijk bij Duurstede. De wagens lossen onder de poort. De molen staat ter hoogte van de plaats waar de Rijn van naam verandert, vandaar zijn naam. De molen is eigendom van de vereniging 'De Hollandsche Molen'.

Een veel voorkomend type is de ronde stenen bovenkruier. De vertegenwoordiger van dit type op deze foto is het schepradmolentje van de Zuidwijkse polder bij Wassenaar. Het scheprad is hier overdekt en bevindt zich in de houten kast links aan het molenlijf. Het molentje maalt het water uit het slootje op de voorgrond in de brede Veenwatering achter de molen.

als korenmolen voorkomt of voor andere industriële doeleinden wordt gebruikt. Van de vroeger bestaand hebbende stenen stelling-watermolens rest ons nog één exemplaar bij Gouda.

Er is wat het bovenstaande betreft dus geen verschil in gebruik met de veelkante houten bovenkruier.

DE PALTROK

De paltrokmolen is ontstaan in de Zaanstreek, het land van de bouw van houten huizen en houten schepen, van houtaanvoer, van houtzagerijen en houthandel.

Als eerste houtzaagmolen is bekend de molen 'Het Juffertje', uitgevonden door de veehouder Cornelis Corneliszoon van Uitgeest; hij verkreeg daarop in het jaar 1592 octrooi van de Staten van Holland en West-Friesland.

In 1596 werd Het Juffertje over het water op een zwaar houten vlot vervoerd naar Zaandam, waar het verschillende verbeteringen onderging en ook met een groter aantal zagen werd uitgerust; daarbij komen wij de naam van Dirck Sybrandts tegen.

Uit deze eerste houtzaagmolen heeft zich omtrent het jaar 1600 de paltrok

43

ontwikkeld, in 1604 gevolgd door de houtzaagmolen met bovenkruiing. In het algemeen is de vlucht van deze bovenkruiers wat groter dan die van de paltrokken. Zij waren dus in staat om zwaarder hout te verzagen of meer zaagramen te voeren.

Paltrokmolen 'De Gekroonde Poelenburg' aan de Zaanse Schans te Zaandam. Duidelijk is de hijskraan te zien onder de linkervleugel van de molen, waarmee de stammen uit het water worden gehesen. Aangezien de gehele molen gekruid wordt, kan een paltrok dus geen sleephelling hebben, zoals de zaagmolen-bovenkruier. Omdat de kraan met de molen meedraait, dient een paltrok voor het grootste deel door water omgeven te zijn en staat hij altijd op een schiereilandje om zo het ophijsen van de stammen uit het water te vergemakkelijken. Rechts achter korenmolen 'De Bleeke Dood' te Zaandijk.

In de regel zaagden de paltrokmolens het *wagenschot*, dat is het eikehout dat wordt gezaagd uit een stam die eerst over de volle lengte in tweeën is gekloofd. Men kan dan meer in de richting van de mergstralen zagen en verkrijgt daardoor de planken die het mooie oppervlak met de spiegels vertonen, zo gewaardeerd voor het maken van mooie meubelstukken en lambrizeringen.

De typische paltrokmolens waren genoemd naar de wijd uitstaande rokken (= jassen), de *Palts-rokken*, die een vrij algemeen gedragen kledingstuk waren tussen 1550 en 1630 en bepaald niet alleen gedragen werden door doopsgezinde vluchtelingen uit de Palts, zoals vaak wordt beweerd.

Het hout, vaak aangevoerd als vlot, moet gedurende lange tijd in het water

44

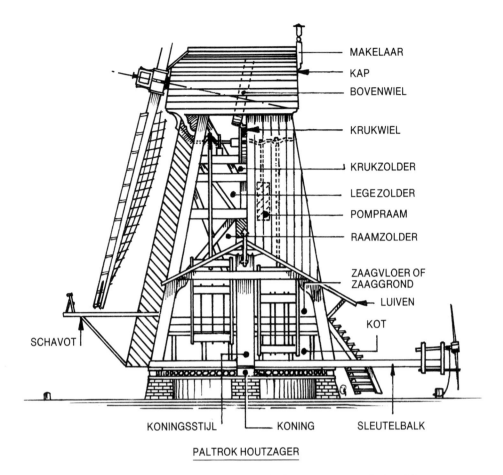

MAKELAAR
KAP
BOVENWIEL
KRUKWIEL
KRUKZOLDER
LEGE ZOLDER
POMPRAAM
RAAMZOLDER
ZAAGVLOER OF ZAAGGROND
LUIVEN
KOT
SCHAVOT
KONINGSSTIJL   KONING   SLEUTELBALK

PALTROK HOUTZAGER

Het pompraam of loos raam dient ter uitbalancering van de krukas om een gelijkmatige gang te bewerkstelligen. De sleutelbalk is de staartbalk van de paltrok.

verblijven, alvorens het wordt verzaagd. De houtzaagmolens zijn dan ook altijd aan het water gelegen en soms vrijwel geheel door het water, waarin de stammen liggen, omringd.

De stammen en balken moeten in de lengterichting worden gezaagd en zij worden daartoe gevoerd door zaagramen, dat zijn ramen waarin de zaagbladen zijn gespannen en die door het molenwerk rechtstandig op en neer worden bewogen. Door hun lengte steken de stammen dus links en rechts een eind buiten de molen uit. Men heeft daarom aan beide zijden van de molenromp een soort overkappingen of luifels aangebracht die aan de voorkant dicht en aan de achterzijde en zijkanten open zijn. Aangezien de molen tijdens het malen altijd met zijn voorkant naar de wind staat gekeerd, is men door deze overkappingen bij het werk beschermd tegen weer en wind. Deze zijvleugels zijn een onderdeel van de werkruimte en vormen met de molen een onverbrekelijk geheel; zij geven daaraan het karakteristieke uiterlijk waaraan deze houtzaagmolen zijn merkwaardige naam te danken heeft en waarop wij in het voorgaande reeds mochten wijzen.

Ook de molen zelf is aan de achterkant beneden open; aan de voorzijde heeft hij een korte stelling, *schavot* genaamd, om van de zaagvloer naar buiten te treden en de zeilen te kunnen bedienen. De vloeren van de zijvleugels vormen het verlengde van de werkvloer in de molen; te zamen heet dit de *zaagvloer* of *zaaggrond,* want hier hangen in het midden van de molen de zaagramen, en op de vloer liggen de sleden waarop de te zagen balken en stammen worden vastgesjord om door de zagen te worden gevoerd.

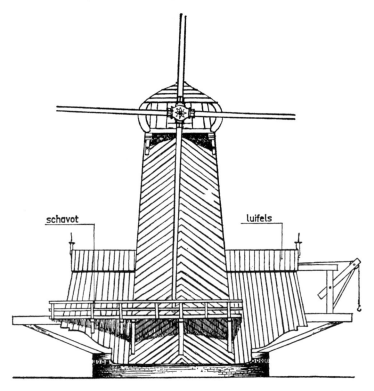

De paltrokmolen, voorzijde. (Naar Boorsma en Visser).

De zagen gaan op en neer en vereisen dus ook onder de zaagvloer de nodige vrije slagruimte, vandaar dat de zaagzolder zich altijd een paar meter boven de begane grond bevindt. In het ondergedeelte, het *kot*, valt het zaagsel neer; het kan daar gemakkelijk bijeen worden gehaald om te worden afgevoerd.

Bij elke neergaande slag van het zaagraam wordt een zaagsnede gemaakt en tijdens de slag naar boven wordt de stam iets verder het zaagraam ingevoerd. Voor dit laatste zorgt het *krabbelwerk* dat telkenmale door het gaande werk van de molen een rad over de afstand van een tand verzet; deze beweging wordt op de slee overgebracht, zodat bij elke slag het hout langzaam maar zeker een kleine voorwaartse beweging maakt. Hierop komen we bij de bespreking van het binnenwerk van de zaagmolen uitvoerig terug.

Bij de gewone molens steekt in de regel de vangstok aan de achterzijde naar buiten uit en daar kan de molen worden gestopt. In de houtzaagmolens komt het vangtouw uit op de zaagvloer, vlak bij de hand. Soms moet de molen plotseling gestopt kunnen worden als men hoort, dat een zaag met luid gekras op een spijker of ander vreemd voorwerp zaagt!

De molen met de zijvleugels is geheel uit hout gebouwd; het lijf is gesteld op een vierkant, maar de doorsnede is eigenlijk meer rechthoekig, de zijkanten zijn wat langer dan de voorkant breed is. Hij moet in zijn geheel te zamen met de

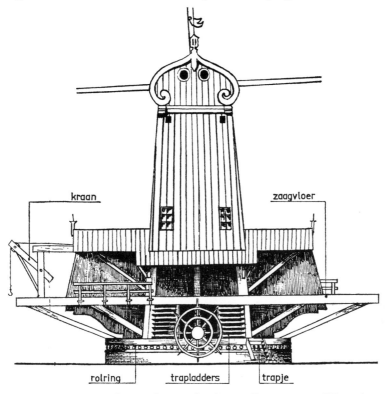

De paltrokmolen, achterzijde. (Naar Boorsma en Visser)

zijvleugels gedraaid kunnen worden om hem op de wind te zetten. Men kan hem dus terecht – en het is naast de tjasker de enige molen waarvan men dat zou kunnen zeggen – een *onderkruier* noemen, maar deze naam wordt vrijwel niet gebruikt.

De paltrok rust op een cirkelvormige gemetselde ringmuur met eikehouten platen, de *kruivloer*. Daarop lopen de kruirollen, gevat in de rolring en afgedekt door een houten vloer.

De rolring is op verscheidene plaatsen door middel van straalsgewijs verlopende ribben met het draaicentrum verbonden. Dit draaicentrum wordt gevormd door de *koning*, dat is de korte zware stijl die in het midden op een zware kolom van metselwerk is opgericht. Op de koning draait om een zware pen het samenstel van staartbalk, koningsstijl en verdere balken die met elkaar het raamwerk van het molengebouw vormen. De staartbalk loopt onder de molen naar achteren door en steekt daar ongeveer drie à vier meter buiten de rolring uit. Het kruien geschiedt weer met behulp van kruipalen.

De rolring neemt weliswaar een deel van het totale gewicht van molen met zijvleugels op, maar zorgt in hoofdzaak voor de geleiding bij het draaien. Het grootste gedeelte van het gewicht wordt gedragen door de koningsstijl.

Nederland telt nog slechts vijf paltrokmolens: 'De Gekroonde Poelenburg' en 'De Held Jozua' te Zaandam, 'De Eenhoorn' aan het Zuider Buitenspaarne bij Haarlem, een uit Numansdorp afkomstige molen in het Nederlands Openluchtmuseum te Arnhem genaamd 'Het Spinnewiel' of 'Mijn Genoegen', en 'De Otter' te Amsterdam, die zijn wiekenkruis verloren heeft.

De paltrok is, zoals we zagen, ontwikkeld uit het zaagmolentje van Cornelis Corneliszoon van Uitgeest en is nooit voor andere doeleinden dan zagen in gebruik geweest. Een paltrok was en is dus altijd houtzaagmolen. De paltrokmolen kwam vooral voor in het noorden en westen van ons land met concentraties in de Zaanstreek en rond de grote steden van Holland.

Op de werking van de zaagmolen komen we later nog uitvoerig terug.

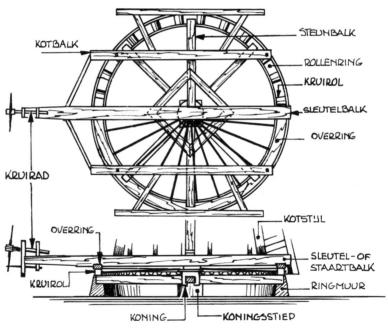

KRUISYSTEEM VAN DE PALTROK

De paltrok draait in zijn geheel op de rollenring waarin de kruirollen rollen.

De overring is het onderste gedeelte van de molen.

De rollenring rust op de ringmuur.

De koning rust op de gemetselde koningsstiep en draagt het molenlichaam.

DE WATERVLUCHTMOLEN

Voor het vestigen van een gecombineerd wind-waterbedrijf was een terrein nodig aan redelijk snel stromend water en open voor de vrije wind. In ons land werd aan deze eisen voldaan op de Veluwe en in oostelijk Utrecht, midden-Limburg en Noord-Brabant. De daar gestichte watervluchtmolens zijn als koren-, houtzaag-, olie- of papiermolen in gebruik geweest.

Bij deze combinaties van door wind én door water aangedreven molen, konden beide molens een of meer bepaalde functies zowel te zamen als afzonderlijk verrichten. In Nederland komt dit molentype niet meer voor, maar over de Duitse grens ten oosten van het Drentse dorp Munsterscheveld staat in Hüven een dergelijk monument van bedrijf en techniek dat in 1957 geheel gerestaureerd werd. Bekende voorbeelden in ons land waren de 'Wolfswinkelmolen' in Casteren en molen 'De Kilsdonk' in Beugt, beide in Noord-Brabant.

De windmolen was altijd voorzien van een stelling en was een veelkante of ronde stenen of houten bovenkruier. Dit type ontleent zijn naam dus aan het feit dat de werktuigen zowel door stromend water als door een gevlucht (de wieken) kunnen worden aangedreven.

De watervluchtmolen in Hüven (Duitsland).

HET UITWENDIGE VAN DE WINDMOLEN

DE BELANGRIJKE ONDERDELEN AAN DE BUITENZIJDE VAN DE WINDMOLEN

We hebben nu de verschillende molentypen leren onderscheiden en kunnen deze op afstand al herkennen.

Laten we thans de verschillende belangrijkste onderdelen die ons aan de buitenzijde van de molens direct opvallen, afzonderlijk eens wat nader beschouwen.

DE WIEKEN OF HET GEVLUCHT

Het voornaamste onderdeel van de molen wordt natuurlijk gevormd door de wieken, samen het *wiekenkruis* of *gevlucht* geheten.

Immers, het zijn de wieken die de energie die in de wind schuilt, overbrengen op al datgene wat de molen tot molen bestempelt: het gaande werk. Zonder wieken is een molen geen maalwerktuig meer; wieken zijn voor de molen een eerste vereiste.

Het wiekenkruis bestaat uit twee, meestal ijzeren, maar ook wel houten balken, de *roeden* genaamd. Deze roeden zijn door de askop gestoken en steken aan beide zijden van die askop even ver uit en zijn daar met wiggen stevig in bevestigd. De uitstekende delen vormen samen met het aanstonds te noemen hekwerk, de wieken.

Eén roede bestaat dus uit twee tegenover elkaar liggende wieken, door de molenaar ook wel *enden* genoemd. Een molen heeft dus vier enden. Als men met het gezicht voor het wiekenkruis staat, draait dit altijd tegen de wijzers van de klok in. Op de bovenas komen we in het volgende hoofdstuk uitvoerig terug.

Het spreekt vanzelf dat de vorm en de uitvoering van de wieken boven alles belangrijk zijn, want zij zijn bepalend voor het gedeelte van de energie dat uit de wind op de molen kan worden overgebracht. Het is er mede als bij het zeilvaartuig, waar het zeil in vorm, stand en grootte in eerste instantie bepalend is voor de voortstuwing en de snelheid van het vaartuig. Het is niet alleen in dit opzicht dat de overeenkomst tussen de molen en het zeilvaartuig, beide zijnde 'windkrachtwerktuig', voor de hand ligt.

Zoals achter de mast op het vaartuig het zeil als vleugelvormig vlak is uitgespannen, zo bevindt zich achter de roede van de molenwiek een schroefvormig vlak, in dit geval bestaande uit een zeil dat over een heklattenrooster, het *hekwerk* of de *hekkens* genoemd, ligt. Dit rooster is een samenstel van latten, de zgn. *heklatten* of *hekscheden*, die in de roede bevestigd en aan elkaar gekoppeld zijn. Deze heklatten in de dwarsrichting, steken door de roede heen en zijn aan de voorkant verbonden door een langslat, de *voorzoom*. Tussen de roede en de voorzoom bevinden zich de uitneembare *windborden*, een stel borden of planken, enigszins te vergelijken met een voorzeil vóór de mast. Aan de achterzijde zijn de hekscheden ook verbonden door drie langslatten, *achterzomen* of *scheerlatten* genaamd.

Het is met de wiek – de naam zegt het trouwens al – hetzelfde als met de vleugel van een vogel, hetgeen op zichzelf ook weer voor de hand liggend is. Wanneer we nagaan wie de snelste vliegers zijn, dan blijken dat de vogels te zijn met de lange, spitse, enigszins vlakke vleugels, zoals de zwaluwen, meeuwen en vele andere. Korte en stompe bolle vleugels behoren bij de minder snelle vogels, de mussen en de vinken en bij de zeer stuntelige vliegers als de kippen en dergelijke.

Wat zien we nu bij de ontwikkeling van de zeiltuigen der jachten? Van het bolle zeil van de oudhollandse ronde en platbodemvaartuigen als boeiers en aken (aanvankelijk zelfs met het primitieve sprietzeil) is men bij de jachten gekomen tot de vlakkere en hogere tuigen met de grote, later zeer rechtop staande gaffels, en sinds de aanvang van de twintigste eeuw als consequente voortzetting daarvan tot het torentuig. Een modern jacht is getuigd met hoge spitse zeilen.

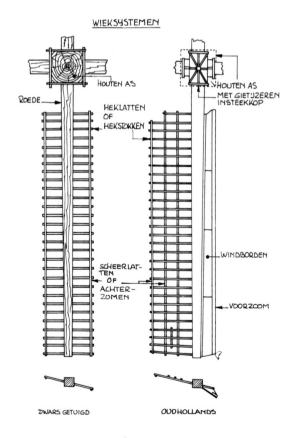

51

Geheel in dezelfde geest zien wij dat de meest primitieve molens, zoals we die kennen uit de gebieden in het Nabije Oosten en rondom de Middellandse Zee, zeilen hadden die kort waren en zeer bol stonden. Later zijn de wieken langer geworden, aanvankelijk getuigd met een zeil dat zich zowel voor als achter de roede uitstrekte: het dwarsgetuigde zeeschip dat we zo goed kennen uit de afbeeldingen, en dat helaas bijna niet meer op de oceanen wordt aangetroffen. Het schijnt dat de beroemde Jan Adriaenszoon Leeghwater, dat was dus in de eerste helft van de zeventiende eeuw, als eerste heeft aangegeven dat men beter deed dit zeil te vervangen door een zeil, geheel achter de roede, en voor de roede windborden aan te brengen.

Daarbij had men ook veel minder last van het klapperen of slaan van de zeilen. Men noemt dit vaak *oudhollandse tuigage,* als tegenstelling tot de aanstonds te bespreken moderne stroomlijn wieksystemen.

De wiek is dus een vleugelvormig vlak, één geheel mét en zich bevindende achter de roede, gezien vanuit de tegen de klok ingaande draairichting van het wiekenkruis, als men met het gezicht voor het wiekenkruis staat. De roede is, zoals zoëven gezegd, de lange balk die dwars door de as is gestoken en die naar beide einden dunner verloopt. De roede kan wel een lengte hebben van 28 tot 30 meter toe.

Vroeger bestonden de roeden altijd uit hout, doch in de tweede helft van de negentiende eeuw kwamen de ijzeren roeden, algemeen bekend onder de naam potroeden, meer en meer in zwang. Zij hebben deze naam te danken aan de bekende fabrikant, de firma B. Pot te Elshout aan de Kinderdijk, bij Alblasserdam.

Om het breken van de vaak lange houten roeden zo veel mogelijk te beperken en om bij vervanging de kosten zo laag mogelijk te houden, heeft men in de loop der tijden enkele systemen ontworpen om hieraan zoveel mogelijk tegemoet te komen.

Bij grote molens werden de roeden vaak samengesteld uit een lang middenstuk en twee uiteinden die door middel van stroppen (dikke ijzeren banden met wiggen of bouten vastgezet) aan dit middenstuk waren bevestigd. Vaak was men hiertoe ook gedwongen omdat stammen van voldoende lengte niet altijd aanwezig waren.

Een tweede mogelijkheid was die der *borstroeden.*

In de askop is als het ware een korte roede gestoken, de *borst,* in België *pestel* geheten. Aan deze borst zijn met stroppen wederom de uiteinden bevestigd. Het verschil met het vorige systeem is het feit, dat hier veel duidelijker zichtbaar is, dat de roede uit drie stukken bestaat. Bij de eerst besproken roede heeft men door een verstekverbinding er voor het oog veel meer één geheel van gemaakt. De eindstukken heten in beide gevallen *(molen)einde, las* of *oplanger.* De borstroeden zijn in ons land zeldzaam geworden, maar komen in België en Duitsland meer voor.

Een derde mogelijkheid is die van het *haspelkruis.*

In zijn oorspronkelijke uitvoering zijn aan de zijkant van de houten bovenas vier wieken bevestigd, evenals bij de vorige systemen met stroppen en bouten of lunzen. De vier einden zijn dus in dit geval vier halve roeden en van een roede als zodanig is dus hier geen sprake. Men bevestigde ze aan de bovenas en stak ze er niet doorheen om zo de bovenas niet onnodig te verzwakken. Dit systeem werd ontworpen door Hendrik Spille in 1779. Thans is slechts de molen van de Monniken- Raven- en Robonsbospolder te Alkmaar ermee uitgerust. Erg veel opgang heeft dit systeem niet gemaakt. Meer opgang maakte het gietijzeren haspelkruis. Dit bestaat uit een gietijzeren as waarbij de gaten in de askop ieder door een tussenschot in tweeën zijn gedeeld, waardoor dus vier afzonderlijke gaten in de askop ontstaan. Door deze gaten steekt men de vier wieken (halve roeden) en bevestigt ze op boven beschreven wijze. Vrees voor verzwakking van de askop bestaat nu niet, daar deze uitvoering van gietijzer is.

Grote polders hadden vaak één of twee molens met dergelijke wiekenkruisen, waarin dan de nog goede stukken van de roeden der overige molens werden 'afgemalen'. Kleinere polders hadden echter soms ook zo'n molen, daar de vervanging van een halve roede uiteraard minder kost dan die van een hele. Een gietijzeren haspelkruis is nog te vinden in de molen van de Slootgaardpolder te Zijdewind (N-H). Het spreekt vanzelf, dat door de komst van de ijzeren roeden de toepassing van deze roeden en kruisen verminderde of in het geheel niet meer plaatsvond.

Het houten haspelkruis van de molen van de Monniken-, Raven- en Robons-bospolder te Alkmaar. De halve roeden (wieken) zijn om de as bevestigd en met stroppen vastgezet.

De gietijzeren haspelas van de molen van de Slootgaardpolder bij Zijdewind (N-H). De gaten in de askop zijn door een schot in tweeën gedeeld, waardoorheen de halve roeden gestoken worden die met stroppen worden vastgezet.

Het vlak van de wiek is enigszins schroefvormig. Aan de aszijde is de eerste heklat in de roede gestoken onder een hoek van 17 tot 23°, de laatste heklat onder een hoek die veel kleiner of vrijwel 0° is, zelfs iets negatief (dit alles gerekend ten opzichte van het vlak van draaiing der wieken). De reden is als volgt: iedere zeiler weet dat wanneer het schip meer vaart maakt bij een bepaalde windkracht en vaarrichting, de schoten moeten worden aangehaald, de zeilen strakker gezet. Dit komt doordat dan de schijnbare wind, dit is de resultante van de werkelijke wind en de component die ontstaat tengevolge van de vaart van het schip, voorlijker invalt. Bij de molenwiek is het nu zo dat bij elke omwenteling het gedeelte bij de as een betrekkelijk geringe omloopsnelheid heeft, maar dat de snelheid, waarmede de roede de lucht doorklieft, groter wordt voor ieder punt dat zich verder van de as af bevindt. De snelheid aan de top van de wiek is dan ook vele malen groter dan op punten die dichter bij de as gelegen zijn. Dientengevolge zal het zeil aan de top dus onder een veel kleinere hoek moeten staan dan meer naar de as toe. Onze voorouders wisten dat drommels goed uit ervaring, ook al konden zij misschien dit probleem theoretisch niet geheel doorgronden. Zo waren de wieken ontstaan in een vorm waaraan gedurende enkele eeuwen niet veel veranderd of verbeterd werd.
Totdat . . . de technische mens zich – in het begin van de twintigste eeuw – met de vliegerij ging bemoeien!
Omstreeks 1910 verrasten ons de verschillende pioniers – eerst de gebroeders

Wright in Amerika, daarna Blériot in Frankrijk, Olieslagers bij onze zuiderbu-
ren, Van Maasdijk en Fokker in ons land – met hun pogingen zich als de vogels
in de lucht te verheffen en enige afstand in vlucht af te leggen. De afbeeldingen
laten nog zien hoe deze vliegtuigjes voor ons hedendaags begrip onbeholpen
waren geconstrueerd en min of meer stuntelig aandeden. Door deze ontwikkeling ondervond men de noodzaak van de bestudering van de aerodynamica, dit
is de wetenschap die zich bezighoudt met luchtstroming en luchtweerstand.
De belangstelling in aerodynamische problemen was erdoor gewekt en werd er
enorm door gestimuleerd. Men ging onderzoekingen verrichten in windtunnels,
proeven nemen met alle mogelijke aerodynamische profielen en constructies,
stelde alles meer op wetenschappelijke basis. Van ongeveer het jaar 1910 af
gingen jongere ingenieurs in Delft zich op dit gebied toeleggen en specialiseren.
Ook het jachtzeilen werd meer wetenschappelijk bezien: in 1925 zag daarover
het bekende boekwerk van Manfred Curry over de aerodynamiek van het zeilen het licht, enerzijds het gevolg en anderzijds de voorloper van een enigszins
revolutionaire verandering in de ten deze heersende opvattingen.

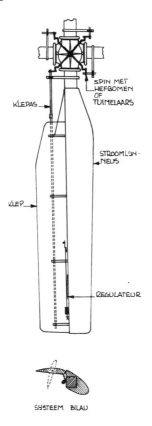

De regulateur zorgt voor de automatische bediening van de klep.
De tuimelaars ter bediening van de kleppen komen te zamen bij de askop in de
spin.

In Duitsland had de ingenieur K. Bilau zich al sinds geruime tijd beziggehouden met het bestuderen van aerodynamische vraagstukken, waaronder ook die van het effect van de wind op molenwieken. Hij was een der eersten die proefnemingen in een windtunnel verrichtte, maar men was in 1920 nog niet zover, dat men de aerodynamisch juiste wieken op ware grootte kon vervaardigen. Zijn verdiensten lagen dan ook voornamelijk op theoretisch terrein. Het was hem opgevallen, dat in de loop der tijden maar al te veel molens waren vernield en verbrand als gevolg van te snel doordraaien en met de vang afremmen bij stormweer. Bij stormweer is namelijk een groot gevaarte als een molen bijna niet meer te bedwingen. De molenaar kijkt dan ook steeds naar het weer en legt in zo'n geval de molen tijdig aan de ketting. Bilau kwam nu op de gedachte om de molenwieken uit te voeren met een profiel, zonder hekken en zeilen, en ze te voorzien van *remkleppen.* De remkleppen zijn windborden die zodanig aan de wieken zijn aangebracht dat zij bij te snelle gang naar buiten draaien, het goede profiel verstoren en daardoor zeer sterk en toch soepel remmend werken. Hij kon op deze wijze, zoals hij zei: 'Storm met storm bedwingen'. We treffen dit systeem nog aan op de molen aan de Asserstraat te Norg (Dr).

Wanneer men dit alles bedenkt, dan valt het niet te verwonderen, dat bij de antwoorden, die op de prijsvraag voor verbeteringen aan windmolens van de vereniging 'De Hollandsche Molen' in 1924 binnen kwamen op vele en verschillende wijzen aandacht aan aerodynamische punten werd besteed.

In onze jeugd hadden wij nog niet de beschikking over de tegenwoordige fraaie en korte werphengels, maar wij droegen de lange bamboe hengelstok over de schouders. Wie heeft dan niet opgemerkt welk een grote kracht het kostte om zelfs een zo dunne stok enigszins snel door de lucht te bewegen? Dat trof ons toch al als iets wonderlijks en het demonstreert welk een geweldige weerstand moet worden overwonnen om een dikke vierkante balk – wat in feite de molenroede toch is – snel door de lucht te klieven.

De molenbouwer A.J. Dekker uit Hazerswoude was een der eersten die dit bezwaar onderkende en op zeer eenvoudige wijze wist te ondervangen. Hij deed dit door de molenroede te omgeven met een metalen omkleding die aan de voorkant rond om de roede en aan beide zijden naar achteren toe spits verloopt, aansluitende aan het hekwerk. Zodoende wordt aan de gehele wiek een aerodynamisch meer juiste vorm gegeven, meer het profiel van de ons tegenwoordig zo geheel vertrouwde vliegtuigvleugel. Voor ons gevoel in de tegenwoordige tijd, waarin zelfs de kinderwagens en het schrijfgerei zijn *gestroomlijnd,* is dat niets bijzonders, maar in de jaren twintig was dat anders en gold dat principe als vrij revolutionair. Half verdekkerde wieken komen ook voor. Hierbij is de achterzijde van de windborden van een stroomlijnprofiel voorzien. Deze stroomlijnwieken trekken evenals de originele dekkerwieken, zeer goed en zijn eveneens door Dekker ontworpen.

De dekkerwieken hebben van het begin af al direct veel toepassing gevonden. Voor het eerst werden zij op de molen van de polder Waardenburg te Waardenburg (Gld) in 1927 aangebracht. In de eerste jaren, tot 1933, werden zij toege-

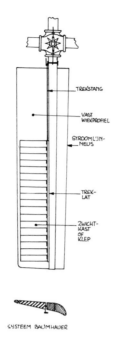

SYSTEEM BAUMHAUER

*De zwichtkleppen zijn verbonden door de treklat die bediend wordt door hef-
boompjes bij de askop.*

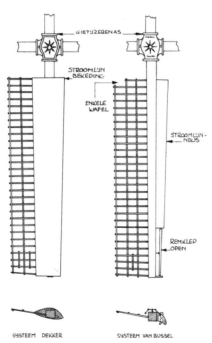

SYSTEEM DEKKER   SYSTEEM VAN BUSSEL

*Om te voorkomen dat het hekwerk tegen het molenlijf aanloopt, is soms een
klein gedeelte weggelaten. Dit heet een wafel.*

past op vijfentwintig molens; in de jaren 1933 en 1934 kwamen er vijftig stuks bij, waaronder zestien in België. Het totaal aantal molens dat met dekkerwieken was uitgerust, heeft ongeveer 300 bedragen.

De Delftse ingenieur A.G. von Baumhauer verkreeg echter als eerste octrooi voor een *stroomlijnwiek* in 1922. Deze bestond uit een vol profiel en horizontaal draaibare kleppen. In de praktijk is deze wiek nooit toegepast. De ideeën van Von Baumhauer werden echter gedeeltelijk verwerkt in de dekkerwiek.

De berg- of beltmolen van Bronkhorst bij Zutphen is uitgerust met ten have-remkleppen op de horizontale roede en busselwieken op de verticale roede. De voorganger van deze molen was tot 1795 een dwang- of banmolen.

Op soortgelijke overwegingen berusten ook de wiekverbeteringen van andere molenmakers. Zo heeft de molenmaker Chr. van Bussel uit Weert een verbeterde wiek geconstrueerd door een metalen neus aan de voorkant van de roede aan te brengen, op het eerste gezicht enigszins als bij het systeem-Dekker, doch dan veel minder ver doorlopend. Bij de dekkerwiek loopt het metalen bekleedsel door tot op de eerste zoomlat, dit is de eerste langslat van het hek; dientengevolge wordt het zeil niet breder dan ongeveer twee derde gedeelte van het normale zeil. Bij het Van Busselsysteem kan men de normale zeilen gebruiken. Later pasten de molenmakers Adriaens uit Weert het nog al eens toe. Ook dit systeem voldoet goed en men kan, vooral in het zuiden van ons land, verschillende molens zien die er mee zijn uitgerust. De eerste uitvoering dateert van 1934, op de molen te Aalst-Waalre en op de molen van Van Bussels broer te Eelen (Belgisch Limburg).

G.J. ten Have, de molenbouwer uit Vorden, voorzag de wieken van draaibare houten borden in plaats van zeilen. Een gedeelte van de wiek draait om een as in de lengterichting van de roede; dit draaibare gedeelte wordt bij stijgend aantal toeren door een stel centrifugaalgewichten versteld en naar de gesloten stand teruggetrokken door een stel gewichten aan de achterzijde van de doorboorde as. De wieken zijn dus zelfzwichtend (waarover straks meer) en de borden nemen bij harde wind zelfs een zodanige stand aan, dat de wind erlangs strijkt zonder daarop kracht uit te oefenen. Het is voldoende als één van de twee roeden (de binnenroede) van zo'n wieksysteem is voorzien. Bij de staart kan men naar believen door middel van een ketting de stand der gewichten beïnvloeden en zodoende kan de molenaar onder alle omstandigheden de vaart uit de wieken halen en het wiekenkruis tot stilstand brengen alvorens de vang erop te leggen.

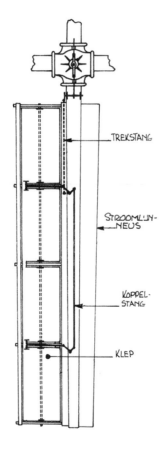

TREKSTANG

STROOMLIJN-
NEUS

KOPPEL-
STANG

KLEP

SYSTEEM TEN HAVE

De Graafschap van Gelderland is vooral het gebied waar men deze wieken veel tegenkomt, doch ook elders zijn zij vaak toegepast, in totaal op meer dan dertig molens. De eerste keer werd het systeem toegepast in 1939 op de molen 'De Bataaf' te Winterswijk.

De Oude Molen te Colijnsplaat (Z) is op de horizontale roede uitgerust met wieken volgens het systeem - Van Riet. De half gewitte stenen molen is een echte vertegenwoordiger van het Zeeuwse type stenen molen.

Ook de molenbouwer Van Riet uit Goes heeft een eigen wiekverbetering op zijn naam staan. Hij heeft zich daarbij zoveel mogelijk laten leiden door het idee-Bilau en gaf de wiek een vol profiel. In feite is het een wiek die bestaat uit de aaneenschakeling van windborden, maar dan gestroomlijnd. De windborden kunnen draaien om een as, evenwijdig aan de roede. Bij een bepaalde snelheid slaan centrifugaalgewichten uit, die dan het gehele wiekoppervlak verstellen, zodat dit als remklep gaat werken en het aantal omwentelingen van de wieken beperkt blijft tot een van tevoren in te stellen aantal. Bovendien kan de verstelling ook bij de staart geschieden, zodat men daarmede de molen op 'geruisloze' wijze kan stoppen. De eerste toepassing ervan vond plaats in 1934 op de korenmolen van molenaars De Baar te Ovezande (Z). Verschillende andere molens, vooral in Zeeland, zijn er ook mee uitgerust geweest. We treffen het thans nog aan bij 'De Oude Molen' te Colijnsplaat (Z) en op de molen te Nispen (N-Br).

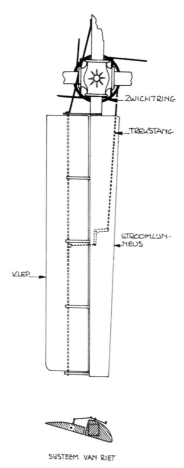

SYSTEEM VAN RIET

In dit voorbeeld is de as niet doorboord, maar wordt de klep bediend via de zwichtring om de bovenas.

Een andere stroomlijnwiek die, evenals die van Dekker en Van Bussel geënt is op omkleding van de roede, is de *prinsenmolenwiek,* genoemd naar 'De Prinsenmolen' te Hillegersberg bij Rotterdam, waar een commissie o.l.v. ir. A. Havinga deze stroomlijnvorm voor het eerst heeft toegepast en beproefd in de jaren 1936-1940.

Manfred Curry heeft ons ook nog eens extra onder de aandacht gebracht, dat het grootzeil van een jacht meer wordt getrokken door het onvolledige vacuüm aan de lijzijde dan wel geduwd aan de windzijde. Voorts dat het ontstaan van dit uitermate belangrijke onvolledige vacuüm achter de mast zeer sterk wordt bevorderd door de spleetwerking die ontstaat door de aanwezigheid van een fok. De fok heeft onevenredig meer invloed op de gang van het schip dan overeenkomt met de vergroting van de hoeveelheid zeiloppervlak die zij betekent. Deze spleetwerking nu werd door ir. P.L. Fauël toegepast op de molenwiek. Hier wordt de houten voorzoom zodanig gesteld, dat een spleet ontstaat tussen

61

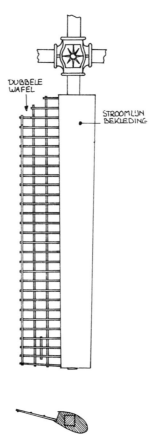

DUBBELE WAFEL

STROOMLIJN BEKLEDING

PRINSENMOLEN WIEK

deze en de eigenlijke wiek; men noemt deze verbeterde wieken dan ook in de regel *fokwieken*. Het gevolg van de spleetwerking is, dat de wiek veel meer trekkracht ontwikkelt. In het bijzonder bij zwakke wind is dit goed merkbaar: de molen loopt bij het minste zuchtje al aan. Al te snel mogen de wieken ook weer niet rondwentelen, want dat heeft verschillende technische bezwaren en men ziet dan ook in de regel dat in de voorzoom een remklep wordt aangebracht die door een centrifugaalgewicht via een stelsel van krukken en hefbomen bij een te groot aantal omwentelingen wordt geopend.

Met de fokwieken zijn de eerste proeven genomen op de 'Broekmolen' van de polder Streefkerk met Kortenbroek te Streefkerk (Z-H). De resultaten zijn opgenomen in het verslag van de Prinsenmolencommissie over 1948. Sindsdien zijn er nu zeker al meer dan honderd molens mee uitgerust. De eerste fokwiek volgens het systeem van ir. P.L. Fauël werd in 1946 toegepast op de molen van de gebroeders Manders te Oeffelt (N-Br).

Wiekverbeteringen volgens de verschillende systemen hebben er in de loop der jaren veel toe bijdragen de molens in hun strijd om het bestaan sterker te maken. In zeer veel gevallen is het behoud van een molen in werkende toestand

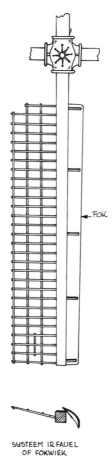

SYSTEEM IR FAUEL
OF FOKWIEK

daaraan te danken geweest, toen overheidssteun nog nagenoeg ontbrak.

Een tijd lang zijn bij restauraties de diverse wieksystemen weer vervangen door de oudhollandse wiekvorm. Thans worden bij molenrestauratie deze systemen soms weer 'meegerestaureerd' omdat deze in de molenhistorie zulk een belangrijke rol hebben gespeeld.

Behalve de wieken met zeil en heklatten en de latere wieken met vol profiel, kent men hier te lande sinds 1891 de wieken met de jaloezievormige schotjes of klepjes, in 1772 uitgevonden door de Brit Andrew Meikle en tot zijn huidige vorm verbeterd door zijn landgenoot William Cubitt in 1807. Het werd hier te lande ingevoerd door de Groninger molenaars K.E. Welt en D.A. Büchli en voor het eerst toegepast bij de toen herbouwde koren- en pelmolen 'Eva' te Usquert waarvan de eigenaar het in Oost-Friesland (Duitsland) had gezien.

Het wiekvlak bestaat uit jaloezieschotjes die loodrecht op de roede zijn aangebracht en die, onderling verbonden, om hun eigen lengte-asjes kunnen draaien. Zij zijn dus zelfzwichtend en hebben het grote voordeel dat de molenaar geen zeil behoeft te minderen of te vermeerderen, hetgeen een belangrijke werkbesparing betekent. In gewone doen vormen de schotjes een doorlopend vlak dat,

Een typisch Friese molen van groter formaat is de Huinsermolen van de pol-
der Huins te Huins halverwege Bolsward en Leeuwarden. De molen heeft een
kruilier en zelfzwichting met oudhollandse wiekvorm. Ook zijn kleine even-
beeld is met zelfzwichting uitgerust! De katrol achter op de kap dient voor de
bediening van de zelfzwichting, indien dit noodzakelijk is, bijvoorbeeld om de
vaart uit de molen te halen, alvorens hem te stoppen.

evenals de wieken met zeilen, enigszins schroefvormig verloopt. Neemt de wind
in kracht toe, dan gaan de schotjes door de winddruk een weinig open en laten
de wind wat door. Dientengevolge ontstaat een automatische regulering waardoor de molen dus – theoretisch althans – bij zwakke zowel als bij sterkere wind
min of meer een zelfde aantal toeren zal maken. Dit systeem wordt *zelfzwich-*
ting genoemd omdat bij deze wieken de molenaar geen zeil hoeft te minderen
(te zwichten) daar dit, als gezegd, vanzelf gebeurt door middel van de genoemde schotjes.
Toch lijkt het wel alsof deze zeer voor de hand liggende voordelen niet geheel
opwegen tegen de bezwaren van deze automatiek: behalve in Friesland en Gro-

ningen heeft deze zelfzwichting niet veel opgang gemaakt, al kwam het verspreid door heel Nederland wel voor. Wel treft men het aan in Engeland, de bakermat ervan, en verder in Noord-Duitsland en Denemarken. Het spreekt vanzelf dat deze 'automatische' wieken wel de nodige aandacht vragen voor periodiek onderhoud en inspectie en dat alles op tijd dient te worden gesmeerd.

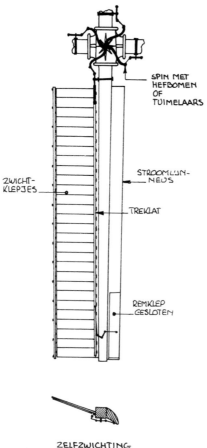

ZELFZWICHTING

De zwichtklepjes zijn door middel van de treklat verbonden en worden bediend door de spin met de hefbomen of tuimelaars. Ook de remklep wordt zo bediend.

De meer recente uitvoeringen van zelfzwichting zijn wel zodanig gemaakt dat de jaloezieën niet alleen worden versteld door de centrifugaalgewichten die op de wieken zijn aangebracht en door de centrifugaalkracht naar buiten bewegen, maar dat men, staande bij de staart, dit ook naar believen kan regelen. Dit wordt bereikt door middel van stangetjes en tuimelaars en meestal een stang door de bovenas die er aan de achterzijde uitkomt en een verbinding langs de staart naar beneden heeft. De bediening via de doorboorde bovenas was in 1789

65

uitgevonden door de Brit Stephen Hooper. William Cubitt nu, verenigde de jaloezieschotjes van Meikle met de bediening via de doorboorde as van Hooper, en werd zo de uitvinder van het principe van de zelfzwichting in zijn huidige vorm. De zelfzwichting kan dan nog worden gecombineerd met een *neus-rem-klep* (molenbouwer Chr. Bremer uit Adorp) die open gaat, zodra het toerental van het wiekenkruis een zekere grens overschrijdt. Aldus wordt het op hol slaan van de molen voorkomen.

De zelfzwichting kan dus voorkomen in combinatie met windborden (dus oud-hollands uitgevoerd), maar ook met stroomlijnwieken. De uitvoering van de eigenlijke zelfzwichting is in beide gevallen in principe gelijk.

Het vlak van het wiekenkruis staat niet precies verticaal, hetgeen men op het eerste gezicht zou veronderstellen, want de wind strijkt toch horizontaal over het aardoppervlak. De romp is uit overwegingen van stabiliteit beneden aan-merkelijk breder dan meer naar boven en zonder een hellende stand van de wieken zou de as uitzonderlijk ver buiten de kap moeten uitsteken. Bovendien wordt zo voorkomen dat de bovenas bij het wegvallen van de wind zich naar voren zou schroeven, of bij storm van achteren naar voren zou schuiven. Het achtereinde van de bovenas wordt gelagerd in de pensteen, die, op een zware houtconstructie bevestigd, het achteruit zakken belet. Hierop komen we in het volgende hoofdstuk uitvoeriger terug.

DE KAP EN TOEBEHOREN

De *kap* – het behoeft eigenlijk geen betoog – vormt bij de bovenkruiers de bovenafdekking van de molenromp. Het is als het ware de muts op het hoofd van de molen. De kap is aan de voorzijde hoog, aan de achterzijde laag.

De zware bovenas, die in de kap verborgen ligt, ligt zoals we zagen, van voren naar achteren enigszins hellend. Aan de voorzijde steekt de bovenas met zijn kop door de kap heen; door die kop zijn de twee roeden gestoken. De rechte voorwand van de kap zet zich onder de askop, dus naar beneden, voort in de vorm van een houten bord, dat een bescherming biedt tegen regeninslag, en meestal fraai is afgewerkt. Dit is de *baard* van de molen, het sierlijke onderdeel dat zich altijd prachtig heeft geleend tot het aanbrengen van een naam, jaartal-len, een symbolische voorstelling, kortom om het persoonlijke element van de molen aan te geven en tot versiering te dienen. Heel vaak vinden we hier kunstig houtsnijwerk of zaagwerk en meestal op zijn minst mooi verfwerk in sprekende kleuren: groen, rood, wit, verguldsel. Het is het evenbeeld van de versieringen die men vroeger op de vlakke spiegel van het oudhollandse vaartuig aanbracht en die aan het geheel zo'n fleurige noot geven.

Op zeer vele molens kunnen we nog mooie baarden aantreffen en in musea zijn verschillende exemplaren te bewonderen, afkomstig van molens die reeds lang zijn verdwenen. Begrijpelijkerwijze bestond er vroeger vaak bij het bouwen van molens een soort onderlinge wedijver om maar een mooie en kunstig bewerkte baard aan te brengen, het uiterlijke teken van welstand en goede verzorging. De baard is het in 't oog vallende onderdeel waarmede de molen zich van zijn soortgenoten wil onderscheiden. Men nam er doorgaans duurzaam hout voor.

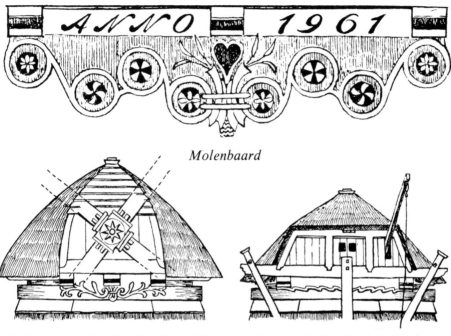

Molenbaard

De kap van de Zuidhollandse polder-molen.
De voorzijde met askop en baard

De kap van de Zuidhollandse polder-molen.
De achterzijde met windluiken en vangstok.

De kop van de bovenas is meestal eveneens in sprekende kleuren geschilderd en versierd met een ster, die het geheel opvrolijkt en als versiersel goed aansluit bij de kleurige baard.

De kap zelf is van een houten beplanking voorzien al of niet met dakleer daar-over heen of wel gedekt met riet; het laatste is verreweg het fraaiste. Ook komt soms een bedekking voor met *schaliën*. Dit zijn kleine plankjes die net als leibedekking over elkaar heen zijn bevestigd.

Aan de achterzijde van de kap zien we de vangstok uitsteken, aan het einde hangt een lang touw of lange ketting naar beneden tot onder bij de staart. (Tenzij een *vangtrommel* is toegepast, waarover in het volgende hoofdstuk meer). Met dit *vangtouw* wordt aan de *vangstok* getrokken om daarmede de vang, dit is de rem om het bovenwiel, naar believen in of buiten werking te stellen.

Bij wipmolens en paltrokken treft men aan de achterzijde op de kap de rechtop staande *makelaar* aan, al of niet van snijwerk voorzien en soms een windvaan dragend. Aan de voorzijde verloopt het huis van de wipmolen aan de onderzijde meestal boogvormig naar omlaag, het midden der voorzijde is afgedekt met een *borstnaald* die zelf weer eindigt in een druppelvormige knop, bal of iets derge-lijks, ook wel *eikel* genaamd. Bij de voorzijde van de standerdmolen zagen we reeds iets dergelijks.

De kap van de standerdmolen, wipmolen en paltrok is anders van vorm dan de kap van de bovenkruier en meestal gedekt met hout of met hout en dakleer en bij enkele standerdmolens met riet. Bij een beperkt aantal verdwenen wipmo-lens was dat trouwens ook het geval. De enige wipmolen waarvan de kap thans nog gedekt is met riet is die van de Rode Polder bij Hoogmade (Z-H). Hier heeft de kap trouwens een afwijkende vorm en lijkt op die van de boven-kruier.

Deelnemers aan een schaatsmolentocht komen langs de Rode Molen van de Rode Polder in de omgeving van Oude Ade (Z-H). De kap is met riet gedekt en lijkt op die van een bovenkruier.

DE STELLING

De stelling of gaanderij vindt men vanzelfsprekend slechts op de zgn. stelling-molens. Dat zijn molens die ter wille van een goede windvang hoog boven de omliggende bebouwing van de stad, boven de beplanting of bebossing op het platteland, moeten uitsteken. Bij deze zeer hoge korenmolens wordt de grote hoogte tevens benut om een aantal *zolders* aan te brengen, waarop verschillende onderdelen van het maalbedrijf worden uitgeoefend.

Ten behoeve van de stelling steken straalsgewijze een groot aantal horizontale binten, *liggers* genaamd, uit de muur naar buiten, die aan de uiteinden zijn verbonden met schuin omlaag lopende *schoren*. De schoren steunen met het ondereinde weer in de muur van de molen. De horizontale binten dragen een planken vloer. Om de vloer is een opstaand hek aangebracht dat de leuning voor de gaanderij vormt. De schoren rusten ook wel op de grond én staan dan verticaal. Dit is gebruikelijk in de Zaanstreek en komt verder verspreid door het land voor, vooral bij molens met een lage stelling.

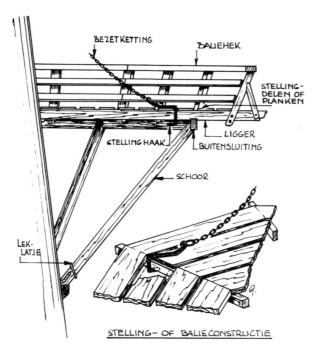

STELLING- OF BALIECONSTRUCTIE

De haak van de bezetketting haakt om een van de liggers. Zo kan de molen gekruid worden.

Het leklatje voert het afdruipende regenwater af en gaat zo rotting van het ondereinde van de schoor tegen.

De buitensluiting is de voornaamste koppelingsbalk van de schoren. De stelling- of baliedelen zijn de planken die samen de vloer van de stelling vormen.

69

DE STAART

Zoals vroeger vele boerinnenkappen een 'staart' hadden, kan men met een beetje fantasie de kap van de molen verlengd zien met wat men bij de molens ook de *staart* noemt. Dat is het samenstel van balken, aan de achterzijde van de molen. Dit samenstel van balken bestaat uit de staartbalk, de korte en de lange schoren. Even beneden het punt waar de lange schoren tegen de staartbalk zitten bevindt zich ook de kruiinrichting: het *kruirad* soms met een platform, de *kruibank* geheten.

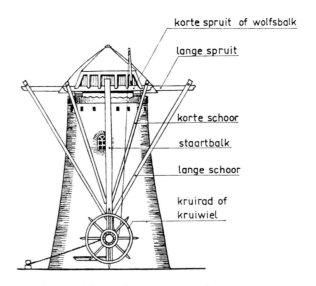

De staart van een (stenen) bovenkruier, van achteren gezien.

Door het voorgedeelte van de kap gaat een dwarsbalk die links en rechts een eind buiten de kap uitsteekt. Van de uiteinden van deze *lange spruit* lopen de *lange schoren* schuin naar beneden naar de *staartbalk.* Achteraan gaat door de kap een kortere balk, *korte spruit* geheten. Van de uiteinden daarvan lopen eveneens twee balken, de *korte schoren,* naar beneden schuin naar de staartbalk welke uit het midden van de korte spruit eveneens van boven naar beneden loopt.
De lange zowel als de korte schoren zijn aan de onderzijde solide met de staartbalk tot één geheel verbonden en dit alles vormt met elkaar de staart van de molen. De staart heeft de kap dus stevig in zijn greep en door de staart rondom de molen te kruien, draait men de kap rond. In het zuiden steunt soms bij ronde stenen molens de staart tegen het molenlijf met een rond de romp draaiende *muurrol,* dit om het doorzakken van de staart te voorkomen. Bij grote molens zijn de korte schoren soms ter versteviging verbonden door een horizontale balk, het *galghout* geheten.
In tegenstelling met de staart van de standerd- en wipmolen ontbreekt bij de

70

staart van de bovenkruier steeds de trap, daar men de kap van de molen hier via trappen in de molen kan bereiken.

Dit alles geldt voor alle bovenkruiers met uitzondering van de Noordhollandse binnenkruier die feitelijk boven-binnenkruier zou moeten heten, aangezien het gehele kruimechanisme zich hier binnen in de kap bevindt. Hieruit volgt, dat men de bovenkruier met staart ook wel buitenkruier noemt, omdat het kruien buiten geschiedt. De andere molentypen duidt men niet met deze naam aan, daar deze in tegenstelling tot de bovenkruiers altijd van buiten worden gekruid.

De staart bij standerd- en wipmolens is in principe hetzelfde. Hier is wel altijd een trap om in de kast resp. het bovenhuis te komen. Bij de standerdmolen ontbreken steeds de lange spruit en de lange schoren. Bij de wipmolen ontbreken deze soms.

Het rondkruien van de kap door middel van de staart geschiedt op de grond, en op de molenstelling bij de stellingmolens, met behulp van het *kruirad* of *kruiwiel,* dat is het grote wiel met de vele handspaken. Soms wordt een *kruilier* toegepast. Deze bestaat uit gietijzeren tandraderen, aangedreven door een ijzeren handzwengel. Het kruien is noodzakelijk om de molen recht op de wind te zetten bij elke windrichting.

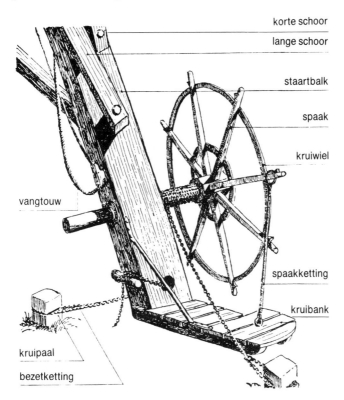

korte schoor
lange schoor
staartbalk
spaak
kruiwiel
vangtouw
spaakketting
kruibank
kruipaal
bezetketting

Het kruirad of kruiwiel. Met de spaakketting zet men het kruirad vast.

Bij de meer primitieve molens in de landen aan de Middellandse Zee is niet zo uitvoerig aandacht besteed aan het kruimechanisme daar de wind niet zo veranderlijk van richting is als hier. Nochtans is ook hier het kruien van de kap goed mogelijk, zodat de fabel als zouden deze markante torenmolens altijd op één windrichting staan, uit de wereld moet worden geholpen.

Zoals we al zagen, heeft het kruirad een windas waaromheen een ketting is geslagen, de *kruiketting* genaamd. Het ene eind van de ketting ligt bij de grondzeilers en de bergmolens vast aan een der *kruipalen* en als men aan het kruirad draait, kan de staart zich aan de ketting telkens een eindje verder voorttrekken.

Het kruirad kan met behulp van een vast kettingeind, de *spaakketting*, met een oog om een der spaken in elke stand worden vastgezet. De kruiketting kan telkens naar een volgende kruipaal worden verlegd en vastgemaakt waarna het spel zich herhaalt, voor zover nodig. Staat de molenkap in de gewenste stand, dan wordt de staart met een tweede ketting aan de andere zijde vastgezet. Deze wordt strak getrokken, zodat de staart (en dus de kap) niet meer kan verschuiven. Deze contraketting heet *bezetketting*. Tijdens het kruien is deze ketting dus los.

Bij een stellingmolen geschiedt de bevestiging der kettingen d.m.v. haken, die tussen de stellingplanken door om een van de horizontale liggers worden gehaakt.

De kruipalen zijn flinke zware palen die een stevig eind in de grond staan en met hun koppen een eindje boven de grond uitkomen. Zij hebben min of meer dezelfde functie en maken ook een zelfde indruk als de meerpalen voor het vastmaken van de schepen in of aan het water.

In de regel staan een twaalftal van deze kruipalen, soms meer, regelmatig op afstand rondom de molen verdeeld. De koppen zijn op eenvoudige wijze netjes afgewerkt en staan natuurlijk goed in de – meestal witte – verf. Men moet ze, ook in het donker, gemakkelijk kunnen zien en niet de kans hebben erover te struikelen.

Het kruirad is ook in vrolijke en sprekende kleuren geverfd en het draagt bij tot het sierlijke uiterlijk van de molen.

Wanneer we zeggen dat men aan het rad moet draaien om de molen te kruien, dan moet men zich dit vooral niet te gemakkelijk voorstellen. Het kruien is een zwaar werk, niettegenstaande de grote lengte van de handspaken. Vaak komt het erop neer dat de molenaar bij grote molens het niet zonder meer met de hand doet, maar eenvoudig in de handspaken stapt en die door zijn eigen gewicht naar beneden drukt: hij loopt in het kruirad als in een tredmolen.

Het zware kruien vormde de aanleiding tot toepassing van de reeds genoemde lier met overbrenging, waarbij aanmerkelijk minder kracht vereist is.

Men heeft wel constructies gemaakt om het kruien door de wind zelf te doen geschieden door middel van een windroos op de kap van de molen. Dit heet *zelfkruiing*. Deze automatische kruiing, in de provincie Groningen in 1891 ingevoerd bij de reeds genoemde 'Eva' te Usquert, heeft daarbuiten in ons land

Een bijzondere molen is korenmolen 'De Sterrenberg' te Nijeveen (Dr) en afkomstig uit Weener (Oost-Friesland, Duitsland). De molen heeft zelfzwichting en zelfkruiing. De mast op de kap is de bliksemafleider, die vanwege het feit dat de kap meedraait bij verandering van windrichting, met een sleepcontact werkt.

nimmer veel opgang gemaakt. Nog in 1938 werd ze toegepast aan een zaagmolentje in Wedderveer en sinds 1977 functioneert dit systeem aan korenmolen 'De Sterrenberg' te Nijeveen (Dr). Op deze zelfkruiing kreeg de Engelsman Edmund Lee in 1745 octrooi, maar het schijnt dat Andrew Meikle, die we reeds ontmoet hebben bij de zelfzwichting, ook hiervan de uitvinder is geweest. In ieder geval zijn de uitvinding van de zelfzwichting en die van de zelfkruiing een zuiver Britse aangelegenheid geweest.

Bij deze vorm van zelfkruiing brengt een *windroos* achter op de kap via een aantal overbrengingen met gietijzeren tandraderen de kruibeweging over op

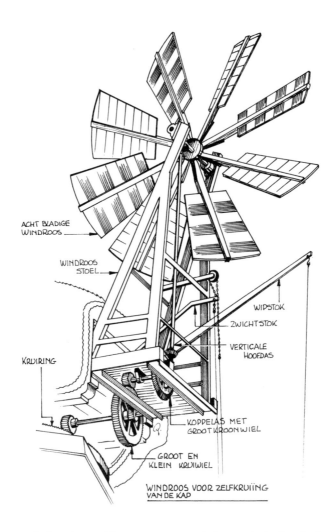

ACHT BLADIGE
WINDROOS

WINDROOS
STOEL

KRUIRING

WIPSTOK

ZWICHTSTOK

VERTICALE
HOOFDAS

KOPPELAS MET
GROOT KROONWIEL

GROOT EN
KLEIN KRUIWIEL

WINDROOS VOOR ZELFKRUIING
VAN DE KAP

Achter aan de kap is een ijzeren constructie bevestigd, de windroosstoel, waaraan de windroos gelagerd is bevestigd. Door de wind draait de windroos. De
draaiende beweging wordt van de as waaraan de windroos zit via twee overbrengingen overgebracht op het groot kroonwiel en daardoor op de koppelas.
Via een derde overbrenging zet de beweging zich voort in het groot en klein
kruiwiel. Het laatste loopt over de kruiring (een tandkrans) die rondom aan
de bovenzijde van het molenlijf is bevestigd. Alles is uitgevoerd in gietijzer en
ijzer. De bladen van de windroos zijn echter meestal van hout. Als de molenkap recht op de wind staat, waait deze langs de bladen van de windroos en deze
draait dan dus niet.
De wipstok is voor de bediening van de vang.
De zwichtstok met ketting is voor de bediening van de zelfzwichting, als men
deze bijvoorbeeld wil openen om de vaart uit de molen te halen, voor men hem
vangt (stopt).

een tandkrans die aan de bovenzijde aan het molenlijf is aangebracht. Zo zet de kap zichzelf steeds op de wind!

Een meer nieuwerwetse vorm van automatische kruiing is uitgevoerd aan de molens die elektriciteit opwekken. Hierop wordt later nog ingegaan.

Samenvattend kan worden opgemerkt dat het kruiwerk – speciaal bij de grotere molens – veel zorg voor onderhoud behoeft, aangezien bij geringe zorg de molen zwaar valt te kruien hetgeen voor de molenaar een nadeel betekent en voor het materiaal een extra belasting.

Molen met zelfkruiïng en zelfzwichting.

Wij hebben hiermede nu wel alle onderdelen die aan de buitenzijde van de molen onze aandacht vragen, bezien. Maar behalve deze onderdelen is er rondom de molen nog veel te zien dat met de molen samenhangt en daarmede een fraai geheel vormt.

De korenmolen met het molenerf, de woning van het molenaarsgezin, de oprit met het inrijhek, de schuren en verdere bijgebouwen, dat alles te zamen vormt een klein wereldje op zichzelf.

Naast de watermolens zien we in de directe omgeving vaak het eenvoudige 'zomerhuis' van de watermolenaar, alwaar het gezin des zomers woont. Bij de molen het scheprad of de vijzel met de *wachtdeur,* de toevoertocht die het op te malen water aanvoert en de boezem die het afvoert. Ongerechtigheden die met het polderwater meekomen, worden door het *krooshek* tegengehouden. Langs het krooshek de vlonder die de molenaar in staat stelt regelmatig het vuil te vissen en het krooshek schoon te houden.

Meestal is de watermolenaar ook een verwoed visserman: de drogende fluwelige fuiken en netten aan de staken geven in het overdadige licht te midden van het polderlandschap met zijn waterpartijen, waterflora, zwierende vogels en de onvermijdelijke geit aan een touw op het erf, een beeld van landelijke rust en schoonheid. Een sluisje waar wat water langs de houten deuren sijpelt, het blaffende hondje dat de bezoeker tegemoet komt, zij geven de muziek die bij het rustieke beeld behoort, hetwelk de jachterige stedeling zo weldadig aandoet.

In de onderbouw van de molen de vensters met de kleine ruitjes, de rekken met de witgeschuurde klompen en op een van de vele hekjes en leuninkjes het snel snorrende speelmolentje; zij voltooien het boeiende tafereel.

HET INWENDIGE VAN DE WINDMOLEN

Ziezo, u hebt nu niet alleen de verschillende molentypen van verre leren onderscheiden, maar ook hun buitenonderdelen van nabij gezien.

U zult hebben genoten van de rust, de zelfverzekerdheid, de kracht en de pracht die van een molen op zijn omgeving kunnen uitgaan.

De molens zullen u wel zodanig hebben aangetrokken dat u ook nader kennis wilt maken met het geheimzinnige binnenwerk.

Bent u wel eens in een werkende korenmolen geweest? U moet dat eens doen en de poëzie ondergaan van het gesnor en getril, het gedaver, het piepen en kraken van het hout en dat alles in het witbestoven interieur van de molen, die zijn werk doet zonder dat men eigenlijk ziet waar hij die kracht vandaan haalt. Het is alsof hij die uit zichzelf opbrengt, want op het eerste gezicht kan men nauwelijks verwachten dat die geruisloze wind die zo ongemerkt over het land speelt, dat alles doet.

Het is ermede als met het zeilvaartuig (de overeenkomsten zijn trouwens vele!) waarin men het als een weldadige rust ervaart om zonder enig machinegeluid volkomen geruisloos door vaart en meer te glijden, één met de omringende natuur, slechts begeleid door een eenzame vogel die een kreet laat horen.

Zoals het zeilschip zich verhoudt tot de puffende vrachtvaarder, zo verhoudt de werkende molen zich tot het fabrieksinterieur.

ALGEMEEN

Het is thans zaak dat we nu eens precies weten hoe dat binnenwerk, *het gaande werk*, eruit ziet.

Wij hebben reeds gezien, hoe boven in de kap van de molen, de bovenas ligt, enigszins hellend van voren naar achteren. Aan de voorkant rust de as in de *halssteen*, die zelf weer wordt gedragen door de *windpeluw*, een stevige balk die een onderdeel van de kapconstructie uitmaakt. Achter is de as gelagerd in de *pensteen* welke rust op de *penbalk;* hier wordt het aseinde tevens gesteund en wel zodanig dat achteruitzakken wordt belet.

De uitvoering van de lagers bestaat uit een eenvoudig uitgehold stuk hardsteen dat wordt gesmeerd met reuzel en tegenwoordig ook wel met nieuwe soorten vetten.

Ten tijde van de verbeteringen aan de molens in de jaren dertig heeft men wel gebruik gemaakt van metalen glijlagers van brons of een andere metaallegering doch deze constructies zijn alweer verlaten en bij vrijwel elke restauratie worden de eeuwenoude oplegging en lagering van de zware assen met behulp van blauwe hardsteen toegepast.

De assen waren vroeger van hout en zeer zwaar. In de kop waren twee grote vierkante gaten gestoken, loodrecht op elkaar. Door deze gaten waren de beide roeden gestoken, en met behulp van houten wiggen stevig vastgezet. Bij houten bovenassen treffen we ter hoogte van de lagers weer de ijzeren *schenen* aan die we reeds bij de tjasker hebben leren kennen. Om de houten bovenas zitten ter versteviging van het hout dikke ijzeren banden, de *stroppen*, die het hout tegen breken en scheuren moeten beschermen. Dergelijke stroppen komen we trouwens bij alle houten assen en spillen van het gaande werk tegen. De roede het dichtst bij het molenlichaam, is de *binnenroede,* de andere is de *buitenroede*. Ruim een eeuw geleden werden de houten assen meer en meer verdrongen door de gietijzeren, welke sinds 1836 werden gegoten. De askop is dan een gietstuk dat op overeenkomstige wijze is voorzien van twee grote vierkante gaten voor de roeden.

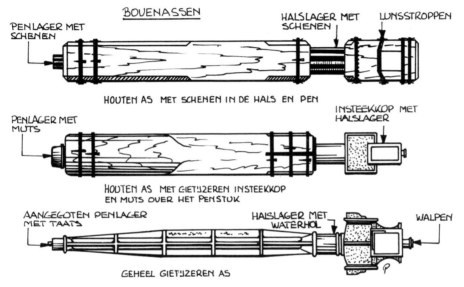

Het waterhol is een rondgaande gleuf die net buiten de molenkap steekt. Het aflopende regenwater wordt langs deze ringvormige gleuf afgevoerd. Bij houten assen heeft men in plaats van een waterhol een ringvormige houten schijf aangebracht, die van boven afgedekt is door een klein, smal afdakje. De walpen dient voor het afdraaien van de as en als aangrijpingspunt bij het hijsen van de as.

Dat het moeilijk was om de bovenas, altijd een zeer zwaar houten of ijzeren gevaarte van vier à vijf ton gewicht, zonder de hulpmiddelen waarover men tegenwoordig beschikt, naar boven te brengen en in zijn lagers te leggen, spreekt vanzelf. Het is een moeilijk en ook gevaarlijk karwei dat slechts door zeer ervaren en bekwame vaklieden tot een goed einde kon worden gebracht. Soms komt een combinatie van houten en gietijzeren as voor, vooral in het zuiden en in België. Het gedeelte van de as dat binnen in de kap ligt, is van hout.

77

In deze houten as is een gietijzeren askop met vier naar achteren uitstekende ribben bevestigd. Deze ribben zijn met de kop uit één stuk gegoten en zijn aan de vier zijden van de houten as bevestigd met stevige ijzeren stroppen eromheen. Zo ontstaat een stevig geheel van een gietijzeren askop met een houten as. Zo'n as heet een *insteekas* (of *Belgische as*). Hij wordt zo genoemd, omdat de askop in de houten as is gestoken.

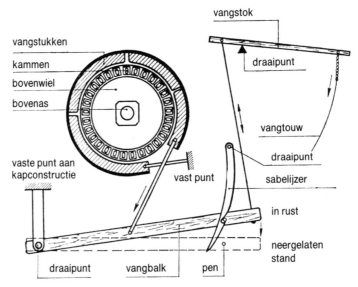

Principe van de werking van een vang. Bij een ruk aan het vangtouw slingert het sabelijzer (vanghaak) van rechts naar links zodat men intussen de vangbalk kan laten zakken, waardoor de vangstukken aanklemmen en de bovenas wordt afgeremd.

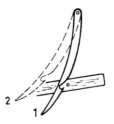

Het sabelijzer kan heen en weer slingeren.

Op de bovenas bevindt zich, zoals we hebben gezien het *bovenwiel*, een rad met een groot aantal kammen. De velg van dit rad is zwaar uitgevoerd en om deze velg past een krans van zware houten blokken oftewel *vangstukken* die door middel van ijzeren strippen in hun onderling verband worden gehouden.

Deze krans van remblokken vormt de *vang*, wij zouden in modern Nederlands zeggen de bandrem, die het wiel en dus de bovenas kan afremmen en tot stilstand brengt. Daartoe is het slechts nodig dat de band met de vangstukken (remblokken) om het wiel wordt aangetrokken.

Bezien wij de figuur, dan treffen wij daarin aan een stuk plat ijzer in de vorm van een gekromde Turkse sabel, welk ijzer om een ophangpunt heen en weer kan slingeren, het *korte sabelijzer,* ook wel *vanghaak* genoemd.

Een ruk aan het *vangtouw* betekent dat de *vangbalk* omhoog schiet en daarmede, door middel van de pen in de sleuf van het sabelijzer, dit laatste naar links doet uitslaan. Tijdens die uitslag laat men de vangbalk zakken en dan trekt deze door zijn eigen zware gewicht de band met remblokken aan.

Wil men de vang lichten, dan behoeft men slechts het vangtouw langzaam aan te trekken; de vangbalk gaat dan langzaam omhoog en de pen sleept langs de vanghaak omhoog tot voorbij de sleufopening. Laat men dan de balk langzaam zakken dan loopt de pen vanzelf in de sleuf van het ijzer terug en valt daarmede in zijn ruststand, zodat ook de vangbalk in zijn hoogste stand is vastgezet en de vang dus vrij blijft van de velg van het bovenwiel.

In Noord-Holland en de noordelijke provincies is het sabelijzer meestal vervangen door een vaste verticale balk die aan de kapconstructie is bevestigd. Aan deze balk zit een haakvormig ijzer, aan de vangbalk zit dan een groot ijzeren oog, dat in de haak wordt gelegd. De vangbalk moet daartoe behalve omhoog een weinig opzij worden getrokken, omdat het oog anders onder de haak vast komt te zitten.

In de zuidelijke provincies ziet men vrijwel geen vangstok toegepast maar wordt de vangbalk opgehaald d.m.v. een soort houten rondsel, de *vangtrommel,* dat in de kap staat opgesteld en eveneens door een touw wordt bediend dat opzij onder de kap uitkomend langs de molenromp hangt. Men spreekt dan van een *trommelvang.*

De *pal,* welke we al bij de tjasker hebben leren kennen, is ook hier meestal aanwezig. Hier echter bestaat deze uit een zijwaarts scharnierend balkje waarin drie kammen zijn gestoken. Het balkje scharniert op een vast punt in de kap. Als de molen stilstaat, grijpen de genoemde drie kammen van de pal tussen een paar kammen van het bovenwiel, zodat terugdraaien wordt voorkomen.

Om te voorkomen dat er ongelukken ontstaan als tijdens het malen de pal onverhoopt tussen de draaiende kammen van het bovenwiel zou komen, zijn de kammen van de pal van onder schuin afgewerkt, zodat in dat geval de pal er vanzelf uitgedrukt wordt. Hieruit volgt, dat de pal alleen helpt tegen het achteruit draaien.

Nu we toch in de kap zijn, kunnen we daar zien hoe de kap als regel rust op houten of gietijzeren rollen welke het ronddraaien van de kap, het kruien mogelijk maken. De rollen, met asjes gevat in een ring, de *rolring,* blijven daardoor op onderling gelijke afstand; zij zijn alle straalsgewijs naar het centrum van de molen gericht en lopen op een cirkelvormige *rolvloer.* De rolvloer rust bij een stenen molen boven op het metselwerk en bij een houten molen op het *boventafelement,* dat zijn de verbindingen van de boveneinden van de opgaande houten stijlen van het molenlichaam. Op de rollen rust de *overring* van de kap en het geheel wordt omsloten door een cirkelvormige houten rand, de *kuip* genaamd.

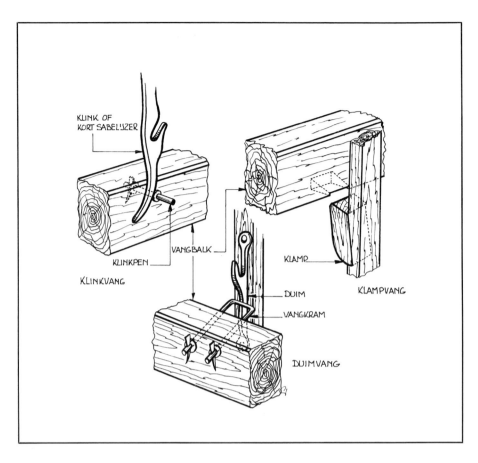

Drie ophangsystemen van de vangbalk (zie blz. 79)

Een soortgelijke constructie met een houten klos in plaats van met een ijzeren duim komt ook voor. Zo een klos heet een klamp. De vangbalk wordt in dat geval op de klamp gelegd.

Soms draait de kap niet op rollen, maar glijdt hij over afgeschuinde blokken hout, welke op het boventafelement op gelijke afstand zijn aangebracht. Dit zijn de zgn. neuten en het kruiwerk noemt men dienovereenkomstig *neuten-* of *glijkruiwerk,* omdat het in dit geval niet rolt, maar glijdt. Over het algemeen loopt dit kruiwerk wat zwaarder dan een rollenkruiwerk.

Het lichtst loopt het zgn. *Engelse kruiwerk*: hierbij is op de rolvloer een rail aangebracht, waarover gietijzeren rollen lopen die aan weerszijden om de rails grijpen met uitstekende randen, *flenzen* geheten, waardoor de rollen op hun plaats blijven. Het grote bovenwiel werkt, zoals al besproken is, op een kleiner kamrad, de bovenbonkelaar (kammen in een velg) of de bovenschijfloop (staven tussen twee schijfvormige velgen), dat op de koningsspil is bevestigd en deze hoofdspil doet draaien.

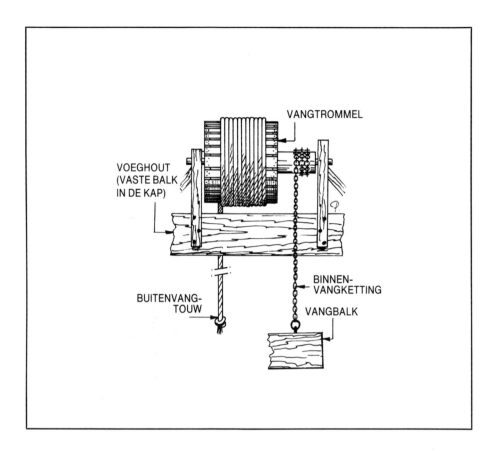

VANGTROMMEL

VOEGHOUT
(VASTE BALK
IN DE KAP)

BINNEN-
VANGKETTING

BUITENVANG-
TOUW

VANGBALK

TROMMELVANG

Door het buitenvangtouw wordt de vangtrommel bewogen en daardoor de binnenvangketting en de vangbalk. Zo wordt de vang opgelegd of gelicht.

De trommelvang is in hout uitgevoerd. Merkwaardigerwijs zijn de as en de vangtrommel vaak niet voorzien van ijzerbeslag tegen slijtage, zodat zij vaak de duidelijke sporen van het veelvuldig gebruik vertonen, als de trommelvang is uitgerust met een ketting en/of een staalkabel. Het voordeel van de trommelvang ten opzichte van de vangstok is dat de eerste niet onderhevig is aan weersinvloeden. Ondanks dat voordeel is het gebruik van de trommelvang voornamelijk beperkt gebleven tot het zuiden van ons land. Ook in België komt hij veel voor.

De trommelvang ontleent zijn naam aan de trommel, waaromheen het buitenvangtouw draait. De trommel zorgt voor een vertraging, omdat men bij dit type de hefboomwerking van de vangstok mist. Zou men het buitenvangtouw ook om de as laten draaien, dan ging het ophalen van de vangbalk veel te zwaar en bij het neerlaten zou men het gewicht van de vangbalk niet of nauwelijks kunnen tegenhouden, hetgeen nodig is om de vang niet te abrupt in werking te stellen.

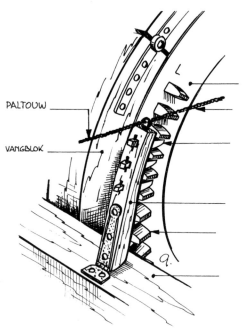

PALTOUW

VANGBLOK

De werking van de pal (zie ook blz. 79).

De pal is een zijwaarts scharnierend balkje (de palarm) met meestal drie kammen, dat op een balk van de kapconstructie is bevestigd. Met zijn kammen past hij tussen enkele kammen van het bovenwiel. Zo voorkomt hij achteruit *draaien van de molen als deze, in rust staande, de wind achter op de wieken krijgt. (Door achteruit draaien wordt de remmende werking van de vang (de rem) namelijk grotendeels opgeheven). De pal kan dus alleen in werking worden gesteld, als de molen stilstaat. Van onder zijn de palkammen schuin afgewerkt, zodat de pal vanzelf uit het draaiende bovenwiel wordt getikt, als hij tijdens het malen onverhoopt in het bovenwiel mocht raken.*

Met het paltouw trekt men de pal uit het bovenwiel. Om te voorkomen dat de pal terug valt, zet men het paltouw vast. Wil men na het malen de pal in het bovenwiel brengen, dan maakt men het paltouw los. Door zijn gewicht valt de pal dan vanzelf naar rechts. Om dat te vergemakkelijken, heeft men vaak aan de rechterzijde van het bovenwiel een contragewicht aan een touw hangen. Dit touw loopt over een katrol en is met de bovenzijde der pal verbonden. Door zijn zwaarte trekt het gewicht de pal in het bovenwiel, als de molenaar het paltouw losmaakt. Bij sommige molens moet men naar boven toe om de pal te bedienen. Bij andere kan men dat buiten vanaf de grond c.q. de stelling doen. Het paltouw loopt dan achter uit de kap naar beneden.

Bij een aantal molens kan men de bovenzijde van de pal achter een scharnierende haak trekken, als hij niet werkt. Wil men de pal dan in werking stellen, dan licht men de haak op met een apart touw, dat ook vanaf de grond of stelling kan worden bediend. De pal komt dan vrij en valt vanzelf weer in het bovenwiel.

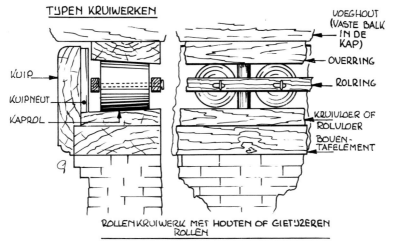

De kuipneut is halfrond afgewerkt en vergemakkelijkt het draaien van de overring.

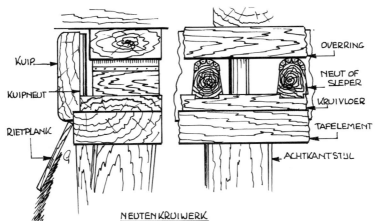

De rietplank voorkomt inwateren en het uitwaaien van het riet.

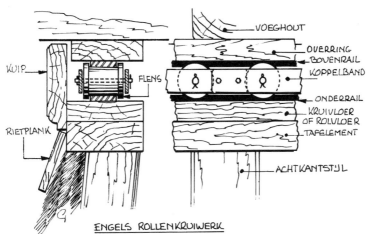

De koppelband is te vergelijken met de rolring bij het rollenkruiwerk.

DE WINDWATERMOLEN

DE WIPWATERMOLEN

Kan bij de standerdmolen het bovengedeelte draaien om een massieve spil omdat met de beweging van het molenhuis de daarin aanwezige werktuigen meedraaien, bij de wipmolen moet de kop kunnen draaien zonder dat de overbrenging vanaf de bovenas naar het scheprad daardoor wordt gestoord. Daartoe maakt men in plaats van de massieve houten spil een zware houten koker waaromheen de kop kan draaien: binnen door deze koker kan nu de koningsspil naar beneden worden doorgevoerd. Vandaar dat de wipmolen vroeger ook wel *kokermolen* werd genoemd.

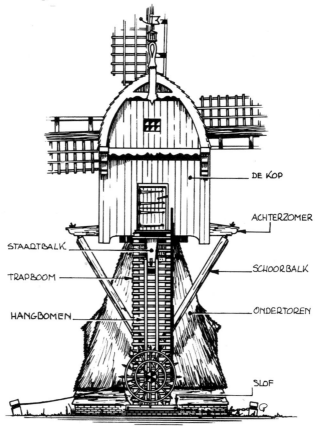

KLEINMODEL WIPWATERMOLEN

De hangbomen zijn de verbindingsbalken tussen de staartbalk en de trapconstructie. Zowel de hangbomen als de trapbomen zijn vastgezet op een brede balk, de slof, onder aan de trapconstructie. De achterzomer vervult dezelfde functie als de korte spruit bij de bovenkruier.

84

De inrichting van de wipwatermolen is tot en met de onderschijfloop of onder-bonkelaar dezelfde als bij de andere molens. De aandrijving van het scheprad, waarmee het water wordt opgevoerd, gaat als volgt: de as van het scheprad, de houten of gietijzeren *wateras*, heeft aan de andere zijde het grote benedenkam-wiel dat door de koningsspil wordt aangedreven: het *onderwiel* of *waterwiel*. Dit loopt voor een deel boven de grond, deels in een gemetselde of betonnen bak die in de grond verzonken is. De houten waterassen zijn ter hoogte van de lagers weer van schenen voorzien en draaien evenals de gietijzeren, in natuursteen. Bij de houten waterassen treffen we meestal de stroppen ter versteviging van het hout weer aan.

De ruimte die door deze overbrengingsraderen in het onderhuis wordt ingeno-men is vrij groot; de overige ruimte is bij grote wipmolens als woning inge-richt.

De wipmolens hebben soms zeer sprekende kleuren en zij vormen een zeer typerende en vrolijke noot in het landschap der polderweiden. Het fraaiste zijn die waarvan het ondergedeelte is gedekt met een mooie dikke rietvacht die beschuttend over de woning ligt, slechts hier en daar onderbroken door enkele kleine uitsparingen voor de vensters en deuren. Zo doen zij ons aan als het toonbeeld van intieme huiselijkheid, waar men des winters binnen goed beschermd is tegen het geweld van weer en wind; zij passen volkomen in het ruwe vlakkeland-klimaat met zijn vele regens, wind, buien, sneeuw- en hagel-stormen. In de zomerse atmosfeer gelijken zij met hun fijne wespetaille wel nuffige vrolijke juffers die, overal het landschap opfleurend, een genot zijn voor het oog.

Toch moet men het leven van het (vaak kinderrijke) molenaarsgezin niet romantiseren. De woonruimte was uiterst beperkt, en in tijden van grote regen-val, wanneer vaak dagen en nachten achtereen gemalen moest worden, was het een zwaar en hard leven.

Evenals bij de standerdmolen loopt ook bij de wipmolen van de onderzijde van het draaibare bovenhuis een zware staartbalk naar achteren, die aan het einde door middel van verticale balken stevig verbonden is met het ondereinde van de trap. Deze trap loopt van de grond af naar het – draaibare – bovenhuis en heeft dezelfde functie als bij de standerdmolen: uitbalancering van het gewicht van de as en de roeden, voorts het zo nodig opvangen van de winddruk op wieken en bovenhuis en plaats voor het aanbrengen van het kruiwiel, dat dient om de molen te kunnen kruien. Voor versteviging lopen nog een paar extra schoren van het bovenhuis naar de onderzijde van de trap. Ook hier kruit men d.m.v. rond de molen staande kruipalen.

Niettegenstaande de stevige constructie staat het bovenhuis van de molen onder het werken altijd enigszins te schudden, te *wippen* op het smalle grond-vlak. Vandaar de naam *wipmolen*.

De binnenruimte van de wipmolen heeft in elk der twee zijden die loodrecht op de richting van het scheprad staan, een deur naar buiten.

Deze twee tegenover elkaar liggende buitendeuren zijn nodig om altijd een inen uitgang vrij te hebben bij elke stand van het vlak waarin de wieken wentelen. Dit is trouwens het geval bij alle soorten wipmolens en bovenkruiers. De deuropening waarlangs de wieken schieten wordt dan stevig gesloten gehouden, want het zou levensgevaarlijk zijn, als iemand daar op een onbewaakt ogenblik doorheen zou willen stappen: hij zou 'een klap van de molen' krijgen!

De wipmolen, het eerste molentype waarmede men de windkracht begon aan te wenden voor het droog houden van het land, ontstond in het begin van de vijftiende eeuw. De molen werd uitgerust met het bekende eenvoudige wateropvoerwerktuig: het *scheprad*. Het scheprad bevindt zich aan de buitenkant van de ondertoren en het wordt vaak met een houten afdekking omkleed.

De Oude Weteringmolen van de polder Streefkerk met Kortenbroek te Streefkerk (Z-H). Deze molen is één van de drie ondermolens die met twee bovenmolens de polder op de Lek bemaalden tot 1951. De Broekmolen maalde de polder mede af, maar op de lage boezem van de Overwaard. Duidelijk is het grote scheprad met de schoepen te zien.

Wipmolens met een binnenscheprad hebben in beperkte mate bestaan, maar zij waren zeldzaam en er is daarvan geen voorbeeld overgebleven.

Er zijn ook watermolens geweest met een scheprad van afwijkende vorm. Een molen met zo'n afwijkend scheprad was die van de Rodenburger en Cronesteinse polder te Leiden. De molen bestaat nog, het rad is verdwenen. Enkele molens met meer schepraderen hebben ook bestaan maar hiervan rest ons geen voorbeeld meer. De meeste schepraderen zijn van ijzer.

Aanvankelijk waren de wipmolens van kleinere afmetingen en, hoewel zij steeds groter werden gebouwd, hebben zij meestal niet de afmetingen en het vermogen van de kloeke watermolens, de stoere knapen, die later werden gebouwd toen men meer ervaring had verkregen en men zich tot taak stelde de meren en plassen droog te gaan leggen.

Het spreekt dat voor molens met verschillende vlucht (dus de lengte van de roede), ook het scheprad met z'n schoepen moet zijn afgestemd op het vermogen dat de molen kan leveren. Wij moeten dan ook respect hebben voor de grote kennis en praktische ervaring die de molenbouwers uit die jaren moeten hebben gehad om zonder de mogelijkheid van berekeningen vooraf dit alles tot een goed einde te hebben kunnen brengen!

Eerst veel later werd naast het scheprad de *vijzel* toegepast voor het opvoeren van het water; het schijnt dat deze pas omtrent 1634 werd uitgevonden, waarbij men dan de naam van Symon Hulsebosch tegenkomt. Van uitvinden in de ware zin des woords is eigenlijk geen sprake, want reeds de Griekse geleerde Archimedes (287-212 v.Chr.) kende de schroefgang en het ligt voor de hand dat deze in de vorm van de zgn. tonmolen wel eerder – met handkracht – werd gebruikt voor het leegmalen van diepe kuilen of soortgelijke werkjes, die bij het bouwen in onze waterrijke streken altijd wel zullen zijn voorgekomen. Maar in 1634 is de gewijzigde tonmolen het eerst bij windmolens toegepast, en wel bij de droogmaking van de Starnmeer ten noorden van Wormerveer.

De analogie met hetgeen de scheepvaart ons te zien heeft gegeven, treft ook hier. Het scheprad was het meest voor de hand liggende wateropvoerwerktuig; dat was het ook als voorstuwingswerktuig voor het schip. Bij de molen blijft het scheprad op dezelfde plaats en beweegt het water, bij het schip is het juist andersom: het water blijft als het ware op de plaats, maar het schip wordt voortbewogen. In 1807 voer het eerste stoomschip; het was: een raderboot. Het zou nog tot 1836 duren alvorens de schroefgang door de Zweed Eriksson werd 'uitgevonden'. De scheepsschroef is tenslotte niets anders dan een andere vorm van een moot uit een vijzel.

Er zijn houten en stalen vijzels. De houten zijn van boven weer in natuursteen gelagerd en daar weer voorzien van de slijtage voorkomende schenen. De stalen vijzels hebben meer nieuwerwetse bovenlagers die gesmeerd worden door middel van een vetpot.

Het onderlager van alle vijzels bevindt zich onder water en wordt bij de houten vijzels vanouds niet gesmeerd. Bij de stalen vijzels is hier weer een vetpot aanwezig. De onderlagering van alle vijzels is – met kleine verschillen – zoals is beschreven bij de tjasker, met dien verstande, dat die van de stalen vijzels steeds geheel van metaal is uitgevoerd.

Overigens zijn het scheprad en de vijzel bij de wipmolen zowel als bij de bovenkruier op dezelfde wijze geplaatst en werken ook op dezelfde wijze, met dien verstande dat het grondvlak van de molen verschilt: bij de wipmolen vierkant en bij de bovenkruier veelkant of rond (bij de meeste stenen bovenkruiers is dit laatste het geval). Het metselwerk voor het wateropvoerwerktuig verschilt niet en bijzonderheden daarover zullen we aanstonds bij de bovenkruier-watermolen leren kennen.

DE BOVENKRUIER-WATERMOLEN

De bovenkruier-watermolens ontstonden in het waterland van Noord-Holland: de *binnenkruiers*, daarna in de tweede helft van de 16e eeuw, de *buitenkruiers*. Met de bovenkruiers zijn de grote meren drooggelegd. De grotere ruimte kwam ook de behuizing ten goede.

De inrichting van de bovenkruier-watermolen: koningsspil, kamraderen, bonkelaars, schijflopen, komt neer op hetgeen we daaromtrent reeds in het voorgaande hebben aangegeven. De kamwielen zelf zijn ook meesterwerken van ambachtelijk vakmanschap; zij zijn vervaardigd van eikehout en voorzien van kammen die zijn gemaakt van een harde houtsoort, bijvoorbeeld azijnhout (een oude verbastering van bois-de-chêne, een harde soort eikehout afkomstig uit de Balkan). Staven worden ook wel van pokhout gemaakt. Pokhout heeft het voordeel van naast hardheid de eigenschap te bezitten van enigszins zelfsmerend te zijn. De kamwielen lopen, beter gezegd glijden, vrijwel geruisloos en dus met een minimum aan wrijving over elkaar. Eeuwen geleden proefondervindelijk gemaakt, blijken zij na te zijn ingelopen vrijwel precies de juiste vorm te hebben en weinig wrijving te veroorzaken; zij slijten dan ook weinig af niettegenstaande zij dag-in dag-uit het zware werk moeten verzetten. Als smeermiddel voor dit houten raderwerk wordt vanouds bijenwas toegepast. Er bestaan ook enkele gietijzeren wielen, vaak van houten kammen voorzien.

Terugkomende op het scheprad van de bovenkruier kunnen wij opmerken dat dit meestal binnenin, soms aan de buitenzijde is aangebracht. Het scheprad neemt te zamen met het onderwiel, nog al wat ruimte op de begane grond van de molen in, zo ongeveer de helft. Ernaast is de gang en de andere helft van de begane-grondruimte wordt ingenomen door de woonkamer met ingebouwde bedsteden. Daarnaast aan de ene kant de trap die naar de eerste verdieping leidt met de verdere slaapplaatsen en naar de zolders, aan de andere zijde een keldertrapje en een bescheiden keukentje.

Beneden is de bergruimte voor het visgerei en dergelijke, althans voor zover deze ruimte niet door de *bak*, waarin het waterwiel draait, en door het scheprad in beslag wordt genomen.

Het onderstuk van de grote watermolens is meestal gebouwd volgens een regelmatig achtvlak. Op dit achtkant steunt de houtconstructie, bestaande uit zware balken, verticaal en horizontaal, onderling nog verbonden door stevige kruisverbindingen en de vloerbalken van de verschillende verdiepingen, hier zolders genaamd. Het vormt zodoende een stijf geheel; dit is ook wel nodig, want het heeft somtijds grote krachten te verduren.

De fraai gebogen holle lijnen van het molenlijf, welke ons esthetisch gevoel zo aangenaam aandoen, hebben ook een bepaalde nuttigheidsreden: de neergaande wiek laat daardoor gemakkelijker de wind 'los'.

De materialen hout en riet hebben zich tot op de huidige dag goed gehandhaafd. Zij passen geheel in onze landstreken en bij ons klimaat; goed eikehout gaat eeuwen mede, denk maar eens aan de eikehouten trappen en balken in de mooie huizen van onze oude steden. Houten balken met een bedekking van riet hebben altijd bouwsels opgeleverd waarbij aan alle eisen van isolatie, gecombineerd met ventilatie, volledig werd voldaan, lang voor de tijden dat men welbewust bij de meer moderne materialen daarnaar moest gaan zoeken. We zien

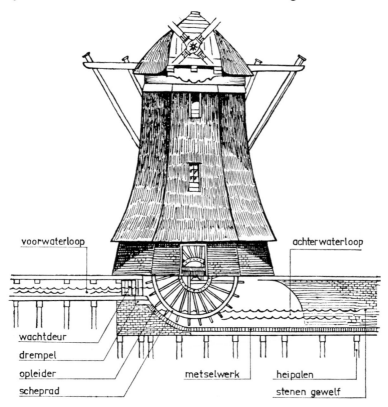

Zuidhollandse poldermolen met binnenscheprad; het gedeelte boven de grond in aanzicht, het ondergrondse in doorsnede teneinde de werking van het scheprad te laten zien.

dat ook aan onze boerderijen; uit esthetisch oogpunt laat zich in dit opzicht niets fraaiers denken.

Door de vorm van de molen en de wijze waarop alle woonruimten daarin zijn ingepast, hebben de kamers zeer typische afmetingen en geven, hoewel enigszins primitief, een gezellig interieur. In de woonkamer de grotere ramen met de verdeling in kleine ruitjes, boven: de kleine ramen die in de rietbedekking zijn uitgespaard. Om de rookafvoer van de stookplaats in de huiskamer maakt men zich weinig zorgen: de schoorsteen is een eind naar boven in de molen opgetrokken en houdt dan ergens op een der bovenzolders op, waar de rook dan verder maar door de kieren van de kap zijn eigen weg naar buiten moet zoeken! Dit had, het zij terloops opgemerkt, een groot voordeel: het houtwerk werd er prachtig door geconserveerd en bleef vrij van houtworm!

Het water wordt uit de polder aangevoerd door een grote poldersloot, de *molentocht*, om dan bij de molen tussen twee muren, de *krimpmuren*, naar het scheprad te worden geleid. Dit past ter plaatse nauwkeurig tussen de beide krimpmuren, maalt langs de *opleider* het water op en doet het via de buitenwaterloop

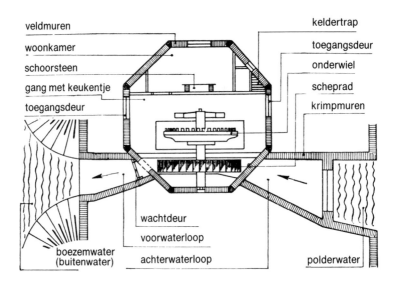

Plattegrond van een achtkante schepradmolen.

verder afvloeien naar de boezemsloot, ringvaart of hoe het water heten mag. Bij de molen heet de aanvoerzijde van het water de *achterwaterloop* of *binnenwaterloop*, de afvoerzijde *voorwaterloop* of *buitenwaterloop*. Teneinde te beletten dat het water van de voorwaterloop naar de achterwaterloop zou terugstromen in de tijden dat de molen niet maalt, wordt de voorwaterloop onmiddellijk voor het scheprad afgesloten door de *wachtdeur*, dat is een deur die op de wijze van een sluisdeur door de druk van het buitenwater vanzelf wordt dichtgedrukt. Tijdens het werken van het scheprad drukt het opgestuwde water vanzelf de wachtdeur open, zodat het weg kan naar de buitenwaterloop. Voor het openen van de wachtdeur is begrijpelijkerwijze een zekere overdruk nodig; dit verklaart waarom de molen niet bij de minste beweging al water verzet, maar een zeker minimum aantal toeren moet maken, 'enden moet lopen', zegt de molenaar, om de wachtdeur open te houden, ook al wordt daarbij weinig of geen water verzet; het laatste begint pas als de wieken wat meer omwentelingen gaan maken.

Het is hier de plaats om iets meer te vertellen omtrent de functie van de watermolen in het algemeen en van het wateropvoerwerktuig in het bijzonder.

De hoogte waarover het scheprad het water omhoog kan voeren, is natuurlijk beperkt, daar deze gebonden is aan de afmetingen, de straal, van het cirkelvormige scheprad. Uit praktische overwegingen heeft het scheprad zekere maximum afmetingen en het komt erop neer dat het water door een scheprad niet hoger wordt opgevoerd dan over een hoogteverschil van 1,25 hoogstens 1,50 meter.

Hoe was men nu toch in staat plassen en meren droog te malen die vaak een diepte hadden van vier en vijf meter?

Men begon met het aanleggen van een ringdijk met een ringvaart om het droog te leggen meer en bouwde enige molens op vooraf bepaalde plaatsen om het water op de ringvaart uit te slaan. Als men zover gevorderd was dat een dieper gedeelte overbleef, werd het zaak om een tweede stel molens te bouwen die op een niveau van ongeveer anderhalve meter lager het diepere gedeelte van de plas gingen afmalen. Zij sloegen het water dan uit op een soort tussengelegen kom of stelsel van watergangen van waaruit de eerste molens het dan weer opmaalden naar de ringvaart. Zo kon men ook nog een derde trap en zelfs zonodig een vierde maken en op deze wijze de diepste plassen droog malen. Elk stel molens heet een *molengang* en men heeft dus, afhankelijk van de grootte van de droogmakerij, met één of meer molengangen te maken. Het kan dus ook voorkomen dat een *getrapte* bemaling slechts bestaat uit bijv. drie molens, die in trappen, achter elkaar werkend het water uitslaan. Is de polder niet alleen diep, maar ook groot van oppervlakte, dan zal er meer dan één molengang nodig zijn.

De molens geven als het ware het water aan elkaar door en de laatste brengt het op de ringvaart.

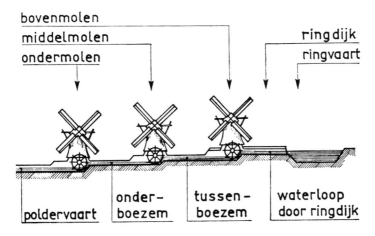

Getrapte bemaling door een gang van drie molens.

91

De waterberging die we tussen de molens van verschillend peil nodig hebben, wordt gevormd door een tussenboezem; dikwijls kan een simpele vaart als zodanig dienst doen. Molengangen met vijzelmolens komen overigens ook voor.

De vijzel of schroef van Archimedes die het water naar boven kan schroeven werd, zoals we zagen, eerst sinds 1634 in watermolens toegepast. Hij komt zowel in wipmolens als bovenkruiers voor. Maakt men een vijzel maar lang genoeg, dan kan men er water mede opmalen van vier à vijf meter diepte af. Dat betekent dus wel een hele vereenvoudiging tegenover een gang molens achter elkaar. Voor diepe polders en droogmakerijen worden dan ook vaak vijzels toegepast.

Bij de prijsvraag van 'De Hollandsche Molen' deed de molenbouwer A.J. Dekker de suggestie om voor niet te grote opvoer in de watermolens schroefpompen toe te passen. Grote opgang heeft dit systeem evenwel niet gemaakt; de schroefpompen kunnen wel eens een te grote belasting voor de molen betekenen. Al eerder hebben wij erop gewezen hoe wateropvoerwerktuig, grootte en vermogen van de molen, breeksterkte van de onderdelen, alle een zeer juiste afstemming op elkaar dienen te hebben, wil men voor onverwachte onaangename gevolgen gespaard blijven. In de oude molens is deze afstemming, door de jaren beproefd, steeds aanwezig. Er zijn ook enkele centrifugaalpompmolens.

De molenviergang van de Tweemanspolder te Zevenhuizen (Z-H).
De achterste molen (nr.1) maalt het water uit de polder via een vaart naar de onderste middelmolen (nr.2). Deze op zijn beurt geeft het water weer door aan de molen op de voorgrond, de bovenste middelmolen (nr.3). Vervolgens maalt deze het water via de vaart op de voorgrond naar de (op de foto niet zichtbare) bovenmolen (nr.4) die het in de boezem maalt. Zo wordt in vier trappen ruim 5 meter hoogteverschil overwonnen. Deze getrapte bemaling vormt een molenlandschap van de eerste orde.

Een vijzel ligt onder een bepaalde helling, meestal ca. 28°, vanuit de molen naar omlaag en reikt tot in het polderwater; hij draait in een betonnen of gemetselde soms houten *vijzelkom* die de vijzel voor ongeveer de helft omgeeft, doch die aan de bovenzijde open is. Boven aangekomen, stort het water zich uit de vijzel en stroomt over een lage drempel naar de buitenwaterloop. Een wachtdeur of klep die door zijn eigen gewicht dichtvalt zodra de vijzel stopt, voorkomt ook hier dat het boezemwater terugvloeit naar de polder.

De Hoge Molen van de polder Nieuw-Lekkerland bij de gelijknamige plaats (Z-H). De molen is in 1966 vervijzeld (= van een vijzel voorzien). Duidelijk is de andere plaatsing van de vijzel ten opzichte van het scheprad te zien. Het laatste bevond zich in het gewelf links. De vijzel is in het hart van de molen geplaatst in het rechthoekige gewelf daarnaast. Goed zichtbaar is het krooshek, dat de met het polderwater meestromende ongerechtigheden moet tegenhouden. Over de staartbalk en de korte schoren het zogenaamde galghout ter versteviging. De molen is uitgerust met fokwieken.

In de provincies Noord-Holland, Friesland en Groningen treft men veel vijzel-molens aan en weinig molens met scheprad. In de provincies Zuid-Holland, Utrecht en in Noordwest-Brabant is het omgekeerde het geval; daar heeft het scheprad zich altijd goed kunnen handhaven.

Naast het reeds genoemde voordeel van de grotere opvoerhoogte van de vijzel moet worden vermeld de mindere ruimte die in beslag wordt genomen, waar-door aanzienlijk meer ruimte voor bewoning ontstaat. Met name wordt op de

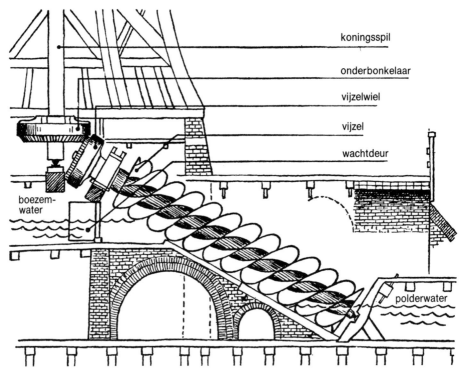

Ligging en wijze van aandrijven van de vijzel in een vijzelmolen. (Naar Krook).

begane grond de mogelijkheid van een extra kamer geboden, hetgeen het woon-comfort zeer ten goede komt. Bij grote vijzelmolens ziet men dan ook geen zomerhuizen staan omdat de molen zelf voldoende woonruimte biedt.

De aandrijving van de vijzel geschiedt in een wipmolen op dezelfde wijze als in een bovenkruier.

Ten einde te voorkomen dat drijvende stukken hout of andere ongerechtighe-den de werking van het wateropvoertuig zouden kunnen verstoren, vindt men aan de toevoerzijde bij de molen, aan de polderzijde dus, het *krooshek*, een hek dat met zijn spijlen de ongewenste voorwerpen tegenhoudt. Het is de taak van de molenaar om het krooshek regelmatig schoon te houden door het vuil op te halen en te verwijderen. Dit geschiedt vanaf een vlonder die langs de bovenkant van het krooshek dwars over de achterwaterloop is aangebracht.

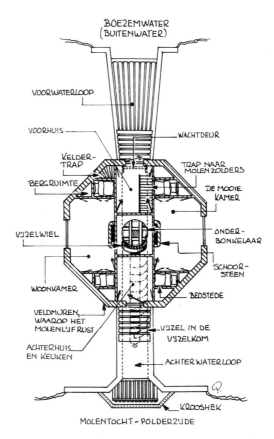

PLATTEGROND VAN EEN POLDERMOLEN
MET VIJZEL

BOEZEMWATER
(BUITENWATER)

VOORWATERLOOP

VOORHUIS

WACHTDEUR

KELDER-
TRAP

TRAP NAAR
MOLENZOLDERS

BERGRUIMTE

DE MOOIE
KAMER

VIJZELWIEL

ONDER-
BONKELAAR

SCHOOR-
STEEN

WOONKAMER

BEDSTEDE

VELDMUREN,
WAAROP HET
MOLENLIJF RUST

VIJZEL IN DE
VIJZELKOM

ACHTERHUIS
EN KEUKEN

ACHTERWATERLOOP

KROOSHEK

MOLENTOCHT - POLDERZIJDE

Een vergelijking met de plattegrond van de achtkante schepradmolen leert, dat de woonruimte in een vijzelmolen ruimer is dan in een schepradmolen.

BOEZEMS EN WATERSCHAPPEN

Het water dat op de ringvaart wordt gebracht, moet weg kunnen en het wordt geloosd op een van de grote rivieren die het naar zee voeren, of wel rechtstreeks op de zee. Het aantal uitwateringsmogelijkheden is voor een groot gebied even-wel beperkt door natuurlijke omstandigheden; in vroege tijden was men om het overtollige water kwijt te raken uitsluitend aangewezen op het natuurlijke ver-val, dat was dus op de tijden van voldoend lage stand van het zee- of rivierwater. Het is derhalve nodig dat het uit de polders verwijderde water in een groot reservoir kan worden opgeslagen, zolang het nog niet naar zee kan worden geloosd. Dit reservoir heet *boezem* en het wordt gevormd door het geheel van vaarten, kanalen en meren, waarvan de bovenbedoelde ringvaart dan ook een onderdeel is. Het kan tijdelijk veel water bevatten, hetgeen vooral in de perio-den van grote regenval van belang is. Een boezemgebied kan zich over een zeer grote oppervlakte in een of meer provincies uitstrekken en het vormt een afzonderlijk beheerslichaam, een waterschap met een eigen bestuur, meestal genaamd heemraadschap, hoogheemraadschap of grootwaterschap.

Behalve door natuurlijke lozing, hield men sommige boezems ook op peil door ze af te malen met windmolens op één hoger gelegen boezem, op het buitenwater of op een rivier. Voorbeelden van dergelijke boezemmolens zijn de acht molens van de Overwaardboezem en de acht van de Nederwaardboezem te Kinderdijk, bij Alblasserdam, welke nog geheel bedrijfsvaardig zijn, en de niet meer bedrijfsvaardige boezemmolens aan de Zeswielen, gemeente Alkmaar en die te Rustenburg (N-H).

De molens bij Kinderdijk (Z-H)
De boezem van de Overwaard en die van de Nederwaard komen hier samen en kunnen ieder door acht schepradmolens via een hoge boezem afgemalen worden op de Lek. De molens malen hun water in de hoge boezem die het op de rivier loost door middel van een spuisluis. De Overwaard heeft achtkante molens, de Nederwaard ronde stenen.

Later heeft men door het bouwen van krachtige gemalen de afvoer van het boezemwater meer in de hand gekregen, zodat men niet langer afhankelijk was van de grillige natuurlijke omstandigheden. Zo heeft het Hoogheemraadschap van Rijnland krachtige boezemgemalen in Gouda, Katwijk, Spaarndam en Halfweg, waardoor het water hetzij rechtstreeks, hetzij indirect, naar zee wordt afgevoerd. Het oude stoomgemaal te Halfweg wordt als monument in stand gehouden.

Is elk waterschap eigenmachtig op zijn gebied en bevoegd zijn *reglementen* te maken (de zgn. *keur*), het spreekt dat de hoogheemraadschappen niet minder hun eigen uitgebreid rechtsgebied hebben; zij kunnen ook voorschriften geven waarnaar de andere waterschappen zich hebben te gedragen. Van de oudste tijden af hebben de waterschappen in ons land vergaande bevoegdheden bezeten en dat is ook nodig, want het leven van de bewoners zo vele meters onder de zeespiegel, hangt ervan af!

De waterschappen vormen invloedrijke autonome rechtsgebieden in ons land; men zal dit in andere landen tevergeefs zoeken. Zij hebben een bijzonder stempel gedrukt op de gehele huishouding en het beheer van Nederland als polderland, alles volgens de oude stelregel: 'wie 't water deert, die 't water keert'. De specifieke geaardheid van onze boerenbevolking, de eigenlijke *ingelanden* en daarmede van onze bevolking in het algemeen, de gehechtheid aan eigendom en eigen aard, het hangt er alles nauw mee samen.

De laatste jaren is het aantal waterschappen sterk verminderd, zowel door samenvoegingen als door ontpoldering van gebieden, die meestal dienen voor stadsuitbreiding en industrievestiging.

De binnenkruier-schepradmolen van de afdeling PV van de Zijpe- en Haze-polder bij Oudesluis (N-H). De omklede roede is te zien, waar het stukje beplating ontbreekt. De molen kan ook inmalen. Eén van de sluisjes daarvoor met windas is voor de molen te zien. De molen is onbewoond, wat wel meer voorkomt in Noord-Holland en in de noordelijke provincies bij watermolens gebruikelijk is. In die gevallen staat naast de molen een woning voor de molenaar. De molen is waarschijnlijk van het eind van de 16de of het begin van de 17de eeuw.

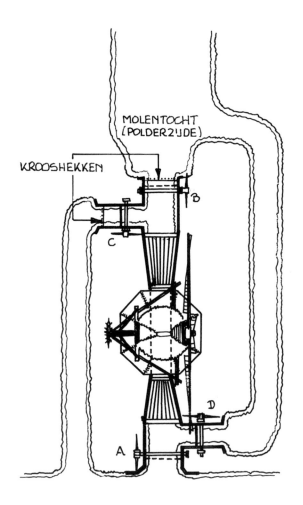

MOLENTOCHT
(POLDERZIJDE)

KROOSHEKKEN

BOEZEMWATER
(BUITENWATER)

MOLEN VOOR IN- EN UITMALEN

Uitmalen: het polderwater is lager dan het buitenwater
de schuiven C en D dicht
de schuiven B en A open
Inmalen: het polderwater is hoger dan het buitenwater of moet dat worden
de schuiven B en A dicht
de schuiven C en D open
Het buitenwater stroomt nu via het slootje onder de openstaande schuif C achter de molen, wordt ópgemalen en stroomt via de openstaande schuif D de polder in. De dichte schuif A voorkomt dat het buitenwater terugstroomt. De dichte schuif B voorkomt dat het hogere polderwater in de boezem terugstroomt.

Wanneer men het hart van een molenbelangstellende in verrukking wil brengen, dan moet men hem voeren naar de machtige molengroep aan de Kinderdijk. Daar staan negentien molens bij elkaar, een werkelijk fantastisch gezicht. Dit molencomplex van de Overwaard en de Nederwaard nabij Alblasserdam is uit landschappelijk zowel als uit historisch oogpunt gezien van grote betekenis.

Doch ook minder grote complexen van molens die een prachtige aanblik opleveren zijn er nog wel in het hartje van Zuid-Holland te vinden. Wie de grote autosnelweg A12-E8 van Gouda naar 's-Gravenhage volgt, zal aan zijn linkerhand het viertal molens ontwaren dat behoort bij de Tweemanspolder onder Zevenhuizen, een viergang die van de weg af een fraai gezicht oplevert en die in goede staat verkeert. Verder bij Leidschendam, te zien vanaf de autosnelweg A4-E10 de drie mooie molens van de Driemanspolder, een driegang.

Wil men een prachtig stel molens zien dat nog volledig in bedrijf is, dan moet men de molengang van de vier molens van de Drooggemaakte Polder aan de Westzijde te Aarlanderveen eens bezoeken. Deze molens, liggende in de gemeente Alphen aan den Rijn, zijn gemakkelijk te bereiken vanaf de weg die van het Aarkanaal oostwaarts voert naar het dorp Aarlanderveen. Het zijn stuk voor stuk prachtmolens, elk met zijn eigen schilderachtige entourage en gezamenlijk liggend in een karakteristiek weidelandschap. Een fraaie gang binnenkruier-vijzelmolens van de polder de Schermer kan men nog bewonderen bij Schermerhorn (N-H). Eén van deze molens is als museum ingericht.

Watermolens komen uiteraard voornamelijk voor in de lage delen van ons land. Watermolens zijn houten of stenen bovenkruiers of wipmolens, terwijl voor kleine oppervlaktes in het noorden soms tjaskers in gebruik zijn.

Verreweg de meeste watermolens werden en worden gebruikt voor het uitmalen van water. Enkele echter worden en werden gebruikt voor het inmalen van water t.b.v. hoger gelegen gronden of voor de waterverversing van bepaalde gebieden of wateren. In sommige gebieden waar des zomers een hoge en des winters een lage waterstand vereist is, zijn sommige molens door middel van een stelsel van sluisjes en kanaaltjes zowel geschikt voor in- als uitmalen. Dit is o.a. het geval bij enkele molens in de Zijpe- en Hazepolder in Noord-Holland en bij een paar molens in Friesland.

DE KORENMOLEN

DE BOVENKRUIER-KORENMOLEN

Bij de bovenkruiers heeft de koningsspil op de steenzolder een groot kamrad dat de kleinere kamraderen of schijflopen van de steenspillen aandrijft, twee, drie of soms wel vier in getal. Dat grote rad heet *spoorwiel* en de rondsels op de steenspillen *steenschijven,* of *steenwielen* als 't met kammen is uitgevoerd. Tussen de kapzolder en de steenzolder bevindt zich nog de *luizolder,* dat is de verdieping alwaar zich het *luiwerk* bevindt.

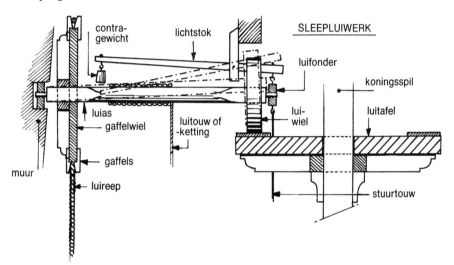

Om de koningsspil zit een schijf, de luitafel.
De luifonder is scharnierend aan een vast deel van de molen bevestigd.
In de luifonder zit de luias gelagerd. Deze lagert aan de andere kant in de muur (of de balkconstructie) van het molenlijf. Deze lagering is een beetje scharnierend, daar de luias op en neer moet kunnen worden bewogen.
Aan het luitouw of de luiketting worden de zakken bevestigd. Men trekt nu met het stuurtouw de luias naar beneden. Het om de luias zittende luiwiel raakt nu de draaiende luitafel en doet zo de luias draaien en de lading gaat omhoog. Is die te bestemder plaatse, dan laat men het stuurtouw los. De lichtstok met het contragewicht zorgen door hun hefboomwerking dat de luias met het luiwiel weer omhooggaan en deze stoppen dus met draaien.
(Een te zware lading zou de hefboomwerking dus opheffen, zodat dan het luiwerk zou blijven draaien). Aan de molenlijfzijde zit om de luias een wiel met een touw zonder eind, de luireep, eromheen. De gaffels voorkomen het aflopen van de rondgaande luireep. Dit gaffelwiel met luireep dient ervoor om het luiwerk met de hand te kunnen bedienen om bijvoorbeeld kleine afstanden te overbruggen en om de zakken te laten vieren.
Het luiwerk heet sleepluiwerk omdat het in werking wordt gesteld door twee over elkaar lopende (slepende) schijven.

Dit bestaat uit een horizontale schijf, de *luitafel*, die om de koningsspil sluit en waarop een verticale schijf wordt neergelaten. Zodra de koningsspil draait, gaat dan ook de verticale schijf draaien en op de as waaraan deze schijf zich bevindt, zit een touw – *luitouw* – dat dan gaat opwinden. Zo is men in de gelegenheid om naar willekeur de lui door de kracht van de molen al of niet te laten draaien en met behulp van het touw dat om de lui is geslagen, de zakken graan op te hijsen en de zakken meel te laten dalen. Bij sommige molens werkt het luiwerk met een klein kamrad dat in een groter kamrad wordt getrokken, zoals te zien is op de tekening.

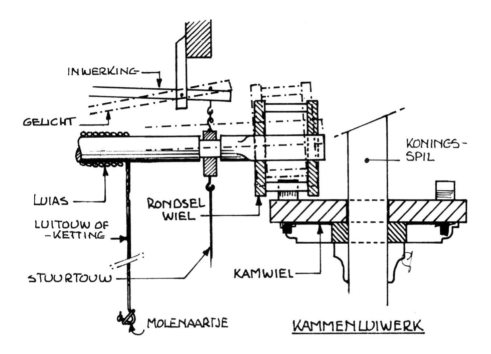

De werking van het kammenluiwerk is in wezen niet veel anders dan die van het sleepluiwerk. Met het stuurtouw trekt men nu een aan de luias zittend rondsel (of kamwiel) in een om de koningsspil draaiend kamwiel. Over het algemeen werkt het kammenluiwerk bij inwerkingstelling wat stotend, door- dat de kammen al draaien en het rondsel daarin getrokken wordt. De naam kammenluiwerk spreekt voor zich. Het molenaartje is een houten plankje waardoor de strop van het luitouw loopt waartussen de hals van de zakken geklemd wordt.

De luitafel is soms voorzien van een rubber strip als loopvlak (vaak een stuk oude band) om het verticale wiel meer greep te geven en slippen te voorkomen. Het bedienen van het luiwerk gebeurt op de wijze zoals aangegeven in de teke- ningen.

Het eigenlijke malen van het graan geschiedt in de *maalstoelen* of *maalgangen*, bestaande uit een tweetal grote molenstenen, omgeven door een houten *kuip*. Zo'n stel stenen noemt men een *koppel*. De aanrakingsvlakken van de stenen zijn voorzien van daarin aangebrachte zwaaivormige groeven. Deze heten samen het *bilsel* of *maalvlak*. De onderste steen, de *ligger*, ligt vast, en de bovenste steen, de *loper*, draait daaroverheen. De loper heeft in het midden een gat, het *kropgat*.

Vanuit een verzamelbak, het *kaar*, dat op dezelfde verdieping of soms op de verdieping erboven is gelegen, loopt het graan in dit gat en, terwijl het tussen de stenen fijn gewreven wordt, beweegt het zich door de zwaaivormige groeven

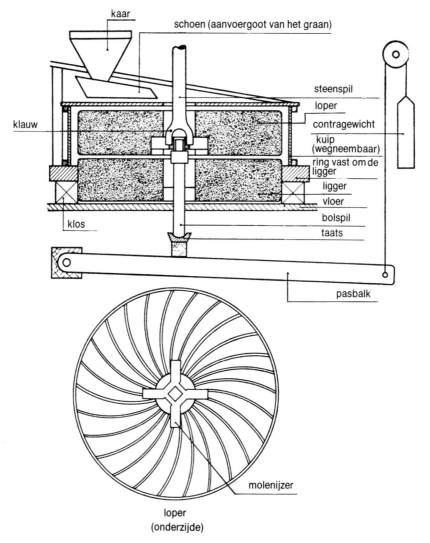

Het koppel stenen (maalgang of maalstoel); het instellen van de afstand tussen ligger en loper is schematisch aangegeven.

102

naar de buitenkant en komt als meel in de kuip terecht.

Een houten koker die op de kuip aansluit, voert het meel naar de daaronder liggende verdieping waar het onder de meelbak in zakken wordt opgevangen, gereed voor vervoer. Deze houten kokers zijn aan de onderzijde afsluitbaar met – ophaalbare – houten schuifjes.

De ligger wordt op de molenvloer door middel van houten klossen op zijn plaats gehouden. De aandrijvende spil, *steenspil* genaamd, moet de loper meenemen en daartoe stevig in deze zijn verankerd. Dit wordt verkregen door middel van een *molenijzer* of *rijn*, dat is een smeedijzeren geheel in de vorm van een gelijk-armig kruis met in het midden een vierkant gat waarin de kop van de bolspil past (waarover straks meer).

De vier armen van de rijn zijn in de steen ingelaten en de steenspil pakt met zijn klauw om de rijn.

Het is dit onderdeel van de molen dat in de heraldiek (wapenkunde) zeer bekend is als wapenfiguur die voorkomt in talloze familiewapens van geslach-ten, die op de een of andere wijze iets met een molen te maken hebben. Het komt voor in verschillende variaties, meestal in de vorm met enigszins ingebo-gen armen. Latere uitvoeringen komen ook voor in gietijzer en zijn dan enigs-zins anders van vorm.

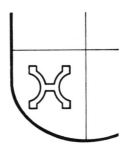

Het molenijzer in de heraldiek.

Wanneer bij een sterke wind de molen meer kracht uitoefent, kan deze meer vermalen dan met een slap windje. Teneinde deze grotere kracht te gebruiken, is de onderlinge afstand tussen de stenen verstelbaar gemaakt, zodat men, al naar gelang het beschikbare vermogen meer of minder graan tussen de stenen kan toelaten en daarmede de belasting kan regelen en de produktie opvoeren. Dit regelen was weer op zeer eenvoudige, maar toch vernuftige wijze uitge-voerd. De loper rust met een doorgaande spil, de *bolspil*, door de ligger op de *pasbalk*. Deze balk heet zo, omdat men ermee de afstand tussen ligger en loper 'op zijn pas' (dit is: op de juiste maat) kan stellen, al naar gelang de omwente-lingssnelheid vereist. De bolspil draait hierop met een taatslager. Deze balk is aan het ene eind scharnierend in de houtconstructie van de molen bevestigd en wordt aan het andere einde omhoog gehouden met behulp van een ophangin-richting, zodanig dat het gewicht van de molensteen zoveel mogelijk door een tegenwicht wordt uitgebalanceerd. De kracht voor het op en neer bewegen van de steen behoeft dan slechts gering te zijn. Men behoeft het touw waaraan het

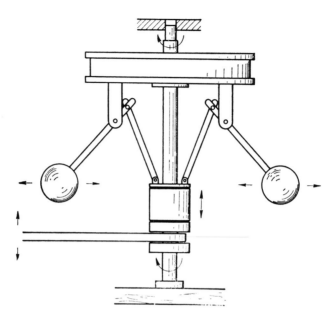

*De regulateur die voor het verstellen van de afstand tussen ligger en loper
zorgt.*

zo juist genoemde tegenwicht is bevestigd, maar een weinig op of neer te heffen
om de draaiende steen wat omhoog of omlaag te verstellen.

Later heeft men erop gevonden dit werk door een *regulateur* te laten doen: van
de draaiing van de spil is de draaiing van een afzonderlijk spilletje afgeleid
waarop een stel ijzeren bollen zodanig is bevestigd dat deze bij toenemende
draaisnelheid door de middelpuntvliedende kracht uit elkaar slaan, omdat ze
aan scharnierende stangetjes hangen. Zodoende bewegen zij zichzelf naar
boven en deze kleine op en neer gaande beweging is voldoende om een automatische regeling van de afstand tussen loper en ligger tot stand te brengen.

De draaiing van de steenspil gebruikt men tevens om de aanvoergoot van het
graan in een schuddende beweging te brengen, zodat de graanaanvoer niet kan
stokken maar gelijkmatig voortgaat, al naar de omwentelingssnelheid van de
loper vereist.

De stenen hebben een doorsnede van ongeveer anderhalve meter en een dikte
van dertig centimeter en wegen 1000 à 1500 kilogram. Zij komen uit de vulka-
nische streken van Duitsland en Frankrijk en door hun lava-achtige samenstel-
ling zijn zij poreus en hebben daardoor een goed snijdend vermogen. Men
gebruikt ook voor sommige doeleinden wel zandstenen en past nu vaak de
kunstmatig uit mortel samengestelde toe, de zgn. *kunststenen.*

Het aanbrengen en scherpen van de groeven heet *billen* en dit is een zeer per-
soonlijk vakmanswerk; de kwaliteit van het meel is daarvan zeer afhankelijk.
Als de stenen een aantal weken dienst hebben gedaan, zijn zij niet scherp
genoeg meer en moeten worden gebild. Daartoe moet de loper worden gelicht

d.m.v. een bij de stenen staande hijskraan, de *steenkraan*, hetgeen in de toch al bekrompen werkruimte een zwaar werk is. Het billen zelf geschiedde vroeger bij het licht van een boven de steen hangend olielampje, want het spaarzame licht dat door de raampjes van de molen naar binnen viel was enerzijds te gering om goed bij te kunnen werken, en anderzijds veroorzaakte het slagschaduwen die het billen nog moeilijker zouden maken. De luiken gingen dan dicht.

Voor het billen gebruikt men speciale hamers met een korte steel, *bilhamers*, die aan de beide zijden als slagbeitels zijn uitgevoerd. Het behoeft geen betoog, dat het billen een lastig en langdurig karwei is en een belangrijke gebeurtenis in het dagelijks leven op de molen; in al die tijd kan er niet gemalen worden, tenzij de molen over twee of meer koppels stenen of een koppel met hulpmotor beschikt. Door de stand van de wieken gaf de molenaar vroeger voor een ieder in de omtrek te kennen dat de stenen waren gelicht en er dus tijdelijk geen

Een Zeeuws achtkantje met de voor die provincie typerende ingesnoerde romp is dat van Sint-Philipsland. De wieken zijn gestroomlijnd volgens systeem-Van Bussel met uitneembare borden aan de uiteinden. Toen in 1980 de dijk werd verhoogd, heeft men het molentje mee laten rijzen! De foto is van voor de dijkverhoging, doch de situatie is niet wezenlijk veranderd.

graan om te malen kon worden aangenomen.

De hoge bouw van de stellingmolen leent zich voortreffelijk voor het maalbedrijf; wel zes of zeven zolders liggen boven elkaar en elke zolder kan voor een afzonderlijk onderdeel van het bedrijf worden gebruikt. Men voert het graan in zakken omhoog naar de *stortzolder*; dit geschiedt op eenvoudige wijze door middel van het luiwerk dat door de beweging van de molen zelf wordt aangedreven. Soms geschiedt het graantransport door middel van een *jacobsladder* of *elevator*.

De jacobsladder ook wel (bak)elevator geheten, is een over schijven lopende riem, touw of ketting zonder einde waarop of waartussen bakken zijn bevestigd, die het graan opscheppen en boven in de karen uitstorten. Hij ontleent zijn eerste naam aan de ladder uit de droom van aartsvader Jacob (Gen. 28:12) en zijn tweede aan het Latijnse werkwoord elevare, dat optillen, verheffen betekent.

Het graan zakt dan door eigen gewicht door de daarvoor bestemde kokers naar

De stellingmolen, de korenmolen die we vaak in de steden zien en dan veelal op de wallen (walmolen). (Naar Krook)

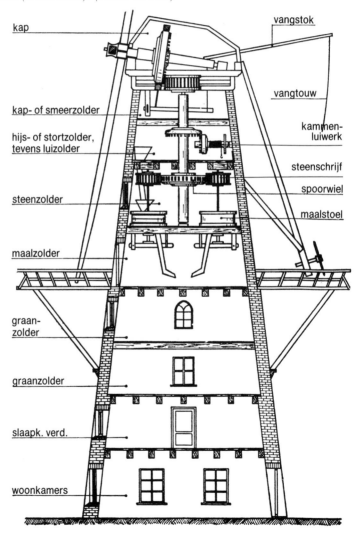

de maalstoelen op de *steenzolder* alwaar het gemalen wordt. Het meel zakt dan weer naar een lager gelegen zolder, de *maalzolder* en daar wordt het in zakken opgevangen. Op de maalzolder wordt dus niet gemalen, doch daar wordt het gemalen goed opgevangen, vandaar de naam. Onder de maalzolder bevinden zich de *graanzolders*. De maalzolder bevindt zich in de regel ter hoogte van de zwichtstelling; deze laatste is slechts van binnenuit bereikbaar.

Boven de stortzolder is de *smeerzolder* of *kapzolder* en daar controleert men de lagers van de bovenas, het kammenwerk en het kruiwerk dat regelmatig moet worden gesmeerd.

Het onderste gedeelte van de molen met de eerste – en soms tweede – verdieping vormt soms de woning van de molenaar en zijn gezin en dit is wel een zeer ruime woning als men dit vergelijkt met de watermolens. De stellingmolen, dikwijls als ronde molen gemetseld, heeft aan de voet een binnenwerkse doorsnede van ten hoogste negen meter. Er zijn verschillende kamers en kamertjes aanwezig, alle – door de ronde vorm van de molen – met vensters die uitzicht geven op de omgeving; mede daardoor vormen zij een allergezelligst interieur. Overigens zijn verreweg de meeste stellingmolens onbewoond. Het meest komen bewoonde stellingmolens nog voor bij de stenen walmolens in de steden. Op de begane grond zijn de grote deuren, twee stel tegenover elkaar voor de inrij en uitrij van het gespan van paard en wagen, dat het graan aanvoert of het meel afvoert naar de klanten.

Naast de ronde gemetselde stellingmolens kennen we ook de achtkante bovenkruiers met stelling waarbij in veel gevallen het onderachtkant van metselwerk is en de constructie boven de stelling van hout bekleed met riet, hout met dakleer of alleen hout. In enkele gevallen is ook het onderachtkant van hout.

Zoals reeds gezegd, geschiedt het hijsen en vieren van de zakken door middel van het luiwerk dat zich boven in de molen bevindt. Recht boven elkaar zijn in elke vloer de vierkante gaten waardoor de zakken naar boven en naar beneden schieten. Elk gat is afgedicht met een dubbel klapluikje met een gat in het midden om het touw door te laten. Bij het hijsen van de zakken stoten deze zelf de twee halve luikjes omhoog; na het passeren van de zak graan vallen zij vanzelf weer dicht en sluiten het gat af.

DE STANDERDKORENMOLEN

Het gaande werk bevindt zich bij de standerdmolen in de kast. In tegenstelling tot de stenen bij de bovenkruiers, worden ze hier aangedreven door het bovenwiel via de steenschijf of het steenwiel. De standerdmolen kent dus één overbrenging minder dan de bovenkruier. Is er maar één koppel stenen, dan wordt dat aangedreven op de gebruikelijke manier via de kammen van het bovenwiel en de bovenbonkelaar of -schijfloop (die bij de standerdmolen dus altijd tevens steenwiel c.q. steenschijf is). Zijn er twee koppels, dan bevindt zich aan de voorzijde van het bovenwiel eveneens een gang kammen, die op dezelfde wijze als hierboven beschreven, het tweede koppel aandrijft. Meestal zijn in dat geval de twee koppels verdeeld over twee zolders. Het koppel dat door de voorste gang kammen wordt aangedreven, noemt men de *achtermolen*, het koppel dat door de kammen in de achterzijde van het bovenwiel wordt aangedreven, de *voormolen*. Deze tegenstrijdigheid laat zich verklaren, als men bedenkt, dat

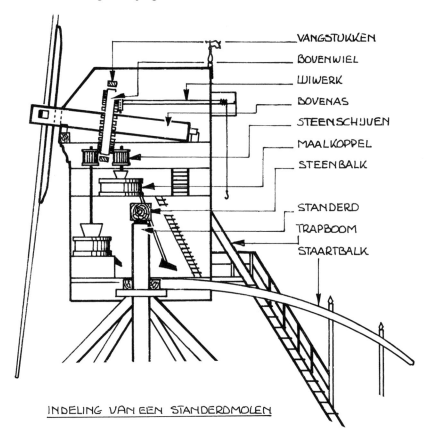

INDELING VAN EEN STANDERDMOLEN

Het onderste maalkoppel staat hier op een verhoging, zodat het meel op dezelfde verdieping kan worden opgevangen. De roede is een borstroede.

men de standerdmolen altijd via de staarttrap aan de achterzijde binnenkomt. Het koppel stenen achter het bovenwiel ontmoet men dan het eerst en heeft daaraan zijn naam ontleend en het koppel voor het wiel staat voor de binnentredende persoon achter het bovenwiel, vandaar de naam. Uit een en ander volgt dat de beide koppels tegengesteld aan elkaar draaien: de voormolen tegen de klok in en de achtermolen, zoals gebruikelijk met de klok mee. Enkele standerdmolens hebben twee bovenwielen achter elkaar. Zij drijven ieder een koppel stenen aan en zijn dan weer op de gebruikelijke manier van één gang kammen voorzien. In dit geval draaien beide koppels dezelfde kant om. In ons land komt het weinig voor, doch in Vlaanderen (België) is het gebruikelijk. Daar wordt het bovenwiel *aswiel* genoemd.

De onderste verdieping in een standerdmolen wordt vaak de *hel* genoemd.

In de twintigste eeuw heeft men soms de standerd doorboord, waardoor de mogelijkheid ontstond om bij een gesloten standerdmolen in de onderbouw ook nog een werktuig aan te drijven.

De verdere inrichting is zoals we die hebben leren kennen bij de bovenkruierkorenmolen en behoeft hier verder niet besproken te worden. Het gaande werk van de standerdmolen is, zoals men begrepen zal hebben, niet ingewikkeld en de wijze van werken blijkt uit de tekening die deze – schematisch – weergeeft.

DE WIPKORENMOLEN

Bij de wipkorenmolen-grondzeiler stonden de stenen altijd in de ondertoren opgesteld. Vaak was deze ondertoren aan weerszijden voorzien van een deur op de hoogte van de bovenkant van een wagen, om zo gemakkelijker te kunnen laden en lossen. Twee deuren waren aanwezig om bij iedere richting van het

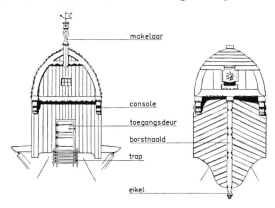

makelaar

console
toegangsdeur
borstnaald
trap

eikel

Het – draaibare – bovenhuis van de wipmolen. Links: de achterzijde; rechts: de voorzijde.

wiekenkruis één deur vrij te hebben. Bij dit type molen was het spoorwiel wel aanwezig. Kleinere wipgrondzeilers hadden vaak één koppel stenen, rechtstreeks door de koningsspil aangedreven en hadden dus, net als de standerdmolen, één overbrenging minder. Als de wipkorenmolen een stellingmolen is, is de inrichting in principe zoals bij de bovenkruier-korenmolen. Wipkorenmolensgrondzeiler bestaan niet meer en kwamen voornamelijk voor in het westen van het land. Wipkorenstellingmolens zijn er nog wel, één te Weesp ('t Haantje) en één te Hazerswoude ('Nieuw Leven' of 'De Zwaluw').

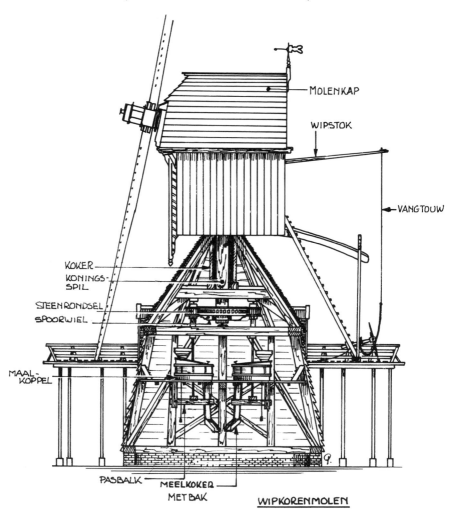

MOLENKAP

WIPSTOK

VANGTOUW

KOKER

KONINGS-SPIL

STEENRONDSEL

SPOORWIEL

MAAL-KOPPEL

PASBALK

MEELKOKER
MET BAK

WIPKORENMOLEN

110

DE PELMOLEN

In de pelmolens heeft men in plaats van maalstenen *pelstenen*. Deze zijn wat groter dan de gebruikelijke maalstenen en de maalstoelen zijn ook iets anders uitgevoerd. De gerst of rijst moet niet worden gemalen doch gepeld, dit is ontdaan van het dunne bastje om de korrel. De stenen zijn doorgaans van zandsteen en de loper heeft slechts enige diepe en wijde groeven, waardoor de korrels bij de draaiing door de middelpuntvliedende kracht naar buiten worden geslingerd en niet tussen de stenen worden vermalen. De kuipwand is aan de binnenzijde voorzien van blikken platen, waarin op zodanige wijze gaatjes zijn geslagen dat de scherpe puntjes naar binnen toe zijn uitgebogen en zij aldus een cirkelvormige rasp vormen, die geheel rond de steen ligt. De korrels worden daar tegenaan geslingerd en door de ronde kant van de stenen gewreven, worden deze van dop of pel ontdaan en glad gemaakt.

Gort was vroeger een bekend volksvoedsel, in het begin van de negentiende eeuw kwam daarbij de invoer van rijst. Ook deze rijst werd door de pelmolens verwerkt.

Pelmolen 'Het Prinsenhof' te Westzaan. Blijkbaar is er een stevige pelwind, want de molen maalt met slechts twee volle zeilen. Met de pelmolen 'De Hoop' te Middelstum (Gr) is het de enig overgebleven molen die uitsluitend kan pellen. De meeste pelmolens zijn namelijk ook uitgerust met één of meer koppels stenen om koren te malen.

Voor het naar buiten uitslingeren van de korrels is het nodig dat pelstenen sneller draaien dan maalstenen; het is een zwaar werk en de pelmolens zijn sterke molens die op het gebruik van een krachtige wind zijn aangewezen. Naar willekeur kan men in de molen een grotere of kleinere overbrenging inschakelen al naar gelang de gang van de molen langzaam of snel is.

In plaats van het luiwerk treft men ook hier vaak een jacobsladder of elevator voor het graantransport aan, zoals we die reeds hebben leren kennen bij de korenmolen. Deze voert de gerst of rijst omhoog en stort die regelmatig in de karen.

Voor al het nevenwerk is een derde spil aanwezig, door de koningsspil aangedreven met een afzonderlijk kamwiel.

De enig nog beroepshalve in bedrijf zijnde molen die pelt, is de koren- en pelmolen 'De Jonge Hendrik' te Den Andel bij Baflo (Gr). De molen is uitgerust met dekkerwieken en zelfzwichting. Het is een typisch voorbeeld van een Groninger industriemolen.

Het aantal pelmolens dat nog in ons land aanwezig is, bedraagt ruim 40. Molens die uitsluitend voor pellen zijn ingericht, zijn er nog maar twee: 'Het Prinsenhof' te Westzaan (N-H) en 'De Hoop' te Middelstum (Gr). De meeste pelmolens oefenen een zogenaamd dubbelbedrijf uit. De combinatie koren-pelmolen komt het meest voor en is ook het meest voor de hand liggend. De zuivere pelmolens vond men vroeger vooral rond de grote steden en in de Zaan-streek. Zij produceerden op industriële basis en maalden niet of in geringe mate voor particuliere klanten.

Groningen telt thans nog de meeste koren-pelmolens. Er zijn er daar nog ongeveer 30. Dan volgt Friesland met 6 en verder komen er nog hier en daar wat verspreid over enkele provincies voor.

Bijzondere dubbelbedrijven komen ook voor: de zaag-, koren- en pelmolen 'Fram' te Woltersum (Gr) en de olie- en pelmolen 'De Pelmolen' te Rijssen (Ov). Dergelijke bedrijfscombinaties kwamen vroeger trouwens wel eens meer voor. In Warnswerd aan de Streek (Fr) staat de onderbouw van een zaag-, koren- en pelmolen, die wat het gaande werk van de zagerij betreft nog intact is, maar waarvan de eigenlijke molen helaas in 1972 is verbrand. De enige molen die beroepshalve nog pelt, is de koren- en pelmolen 'De Jonge Hendrik' te Den Andel bij Baflo (Gr).

DE HOUTZAAGMOLEN

In de houtzaagmolens zijn de belangrijkste onderdelen van de binneninrichting uiteraard de *zaagramen*, dat zijn de houten ramen bespannen met zaagbladen, die door de werking van de molen op en neer worden bewogen.

Daartoe ligt boven in de molen horizontaal een krukas die door middel van het daarop aangebrachte kamrad, het *krukwiel*, wordt aangedreven. Bij de bovenkruier- en wipzaagmolen wordt de draaiing van de bovenas door bovenwiel en bovenbonkelaar weer op de koningsspil overgebracht en meer naar beneden is de koningsspil voorzien van een onderbonkelaar, die dan op zijn beurt het krukwiel aandrijft. Bij de paltrok drijft het bovenwiel rechtstreeks het krukwiel aan en deze heeft dus één overbrenging minder dan de bovenkruier- en wipzaagmolen.

Zaag-, koren- en pelmolen 'Fram' te Woltersum (Gr). De molen staat, zoals alle zaagmolens, op teerlingen. De ruitvormige ramen in de schuur zijn kenmerkend voor de industriemolens in het noorden en noordoosten van ons land.

Ook de stellingstutten met daaraan vast twee korte schoortjes zijn kenmerkend voor de stellingmolens in het noorden en noordoosten.

Wanneer er drie krukken aanwezig zijn, zijn deze onderling onder hoeken van 120° gezet teneinde een zo gelijkmatig mogelijke krachtsverdeling te waarborgen.

Aan elke kruk hangt verticaal een drijfstang of drijfstok die aan het ondereinde is verbonden aan het zaagraam. Links en rechts van elke kruk is de krukas gesteund in een lagerconstructie waarin de as kan draaien, maar toch stevig is gevat.

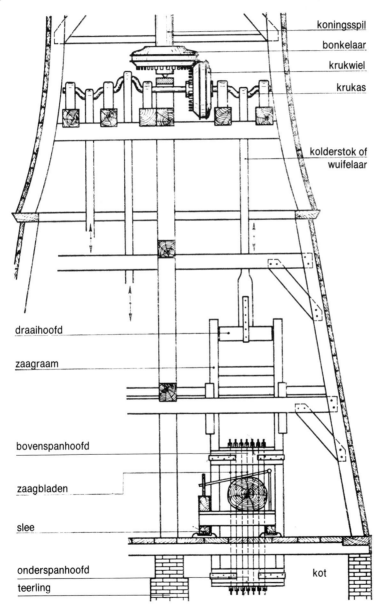

koningsspil

bonkelaar

krukwiel

krukas

kolderstok of wuifelaar

draaihoofd

zaagraam

bovenspanhoofd

zaagbladen

slee

onderspanhoofd

teerling

kot

Krukas en zaagraam in de houtzaagmolen. (Naar Krook)

115

In de regel zijn er een groot zaagraam, ongeveer 1¼ meter breed en 1¾ meter hoog, dat zich aan de ene zijde van de molen en de koningsspil bevindt en twee kleine zaagramen aan de andere zijde. Paltrokmolens hebben meestal twee zaagramen, aan elke kant van de spil één; voor de uitbalancering wordt dan de derde kruk gebruikt om een zgn. *loos raam*, maar dat is dan meer in de vorm van een kist met gewichten, op en neer te bewegen; dit bevindt zich op de raamzolder boven de zaagramen.

Een enkele maal treffen we in een zaagmolen vier zaagramen, twee aan de ene en twee aan de andere kant van de koningsspil.

Een zaagraam is een stevig houten raam, bestaande uit twee stijlen die onder en boven door de zware *spanhoofden* zijn verbonden. Tussen onder- en boven-spanhoofd zijn de *zaagbladen* gespannen. Boven het bovenspanhoofd is nog een verbinding tussen de stijlen, het *draaihoofd*; daaraan is de *drijfstok,* ook *kol-derstok* of *wuifelaar* genaamd, verbonden. Omdat het boveneinde van de drijf-stok een rondgaande beweging maakt, is het noodzakelijk dat het aangrijpings-punt van de drijfstok aan het zaagraam een kleine scharnierende beweging kan maken. Hiervoor zorgt nu het draaihoofd; het is met draaipennen in de stijlen ingelaten.

Het gehele zaagraam wordt dus door de krukken via de kolderstokken regelma-tig op en neer bewogen. Daarbij blijft het onderspanhoofd in zijn hoogste stand altijd nog een tiental centimeters onder de zaagvloer. Het zaagsel valt in de ruimte onder de zaagvloer, het *kot* waaruit het regelmatig moet worden verwij-derd, wil het zaagraam niet in de zaagselberg vastlopen.

De grote ramen dienen voor het zagen van de dikke balken en stammen; dit gebeurt in de bovenkruiers, welke molens meestal sterker zijn dan de paltrok-molens. Deze laatste zijn meestal wagenschotzagers.

De te verzagen balken, stammen en planken worden vastgesjord op een *slee* die over de zaagvloer van de molen loopt, voor elk zaagraam een eigen slee. Ook treft men in plaats van een slee wel een serie *rollen* aan.

De zaagramen glijden met de zijkanten in pokhouten neuten, zodat zij gedwon-gen zijn verticaal op en neer te gaan. Bij het neergaan zaagt de zaag zijn snede en bij de opgaande slag moet de slee met het te verzagen hout een weinig vooruitgeschoven worden. Dit vooruitschuiven geschiedt met behulp van het *krabbelwerk*. Dit bestaat uit een as, de *krabbelas* met daarop gemonteerd een klein rondsel en een groot tandrad, het *krabbelrad*; het laatste is voorzien van een groot aantal schuine tandjes. Het rondsel grijpt met zijn tanden in de tan-den van de tandheugel, dat is een lang gestrekt ijzer met een tandreeks erop, dat in het middenstuk van de slee daarmede één geheel vormt.

Tegelijk met de beweging van het zaagraam gaat een *krabbelstok* op en neer die het uiteinde van de *krabbelarm* op en neer beweegt. Uitgaande van het draaipunt van de krabbelarm loopt een gebogen ijzer, de *pal* , naar de omtrek van het krabbelrad en pakt met zijn haakvormig uiteinde achter een der schui-ne tandjes daarvan, om terugdraaien van het rad te voorkomen. Een tweede gebogen ijzer heeft een – verstelbaar – draaipunt in de krabbelarm op enige

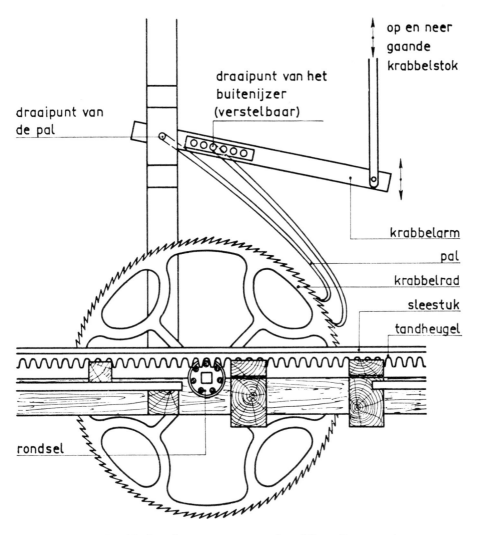

draaipunt van
de pal

draaipunt van het
buitenijzer
(verstelbaar)

op en neer
gaande
krabbelstok

krabbelarm

pal

krabbelrad

sleestuk

tandheugel

rondsel

Het krabbelwerk van een zaagmolen. (Naar Boorsma)

afstand van het *draaipunt van de pal* en het grijpt met zijn haakvormig einde
een of meer tandjes verder in een der schuine tandjes van het krabbelrad.
Bij de opgaande slag trekt dit laatste ijzer het krabbelrad één of twee tandjes
vooruit en deze beweging wordt door het rondsel – verkleind – overgebracht op
de tandheugel en daarmede op de slee. Zodoende wordt bij elke opgaande slag
de slee telkenmale een beetje vooruitgeschoven.
Daar het draaipunt van het buitenijzer verstelbaar is, kan men de afstand
waarover het haakvormige uiteinde telkens het krabbelrad verzet naar believen
groter of kleiner instellen.
Het binnenijzer doet dienst als palwerk en houdt gedurende de neerwaartse
slag elke vooruitgeschoven stand vast.

Boven, op de raamzolder, bevindt zich afzonderlijk een soortgelijk krabbelrad dat op overeenkomstige wijze zorgt voor de draaiing van een houten rol waaromheen het kraantouw is geslagen of een sleeptouw. Het kraantouw loopt over de schijf in de kraan welke buiten staat en op die wijze is men in de paltrokken in staat om met behulp van de molenkracht de stammen en balken uit het water op te hijsen. Evenzo sleept men in de bovenkruiers met behulp van het sleeptouw de balken uit het water langs de helling de zaagvloer op, teneinde ze op de slee te kunnen brengen. Een palwerk zorgt er weer voor dat de rol niet uit zichzelf kan teruglopen.

De bovenkruier-houtzaagmolen met zaagloods en houtopslagloods gezien van twee zijden.

In de molen treft men verschillende balklagen aan, de *zolders*; van beneden naar boven gerekend heeft men de *zaagzolder, zaaggrond* of *zaagvloer*, met buiten daaraan vast de *sleephelling*, de *lege zolder*, de *krukzolder* (waar de krukas ligt) en daarboven de *kapzolder*. De inrichting van het gaande werk van de paltrokmolen is, zoals we hebben gezien, nagenoeg dezelfde als van de bovenkruier- en wipzaagmolen, met dien verstande dat het bovenwiel hier dus rechtstreeks het krukwiel aandrijft en de paltrok dus één overbrenging minder heeft en de sleephelling ontbreekt.

Bij de bovenkruier-houtzaagmolen is het molenlijf niet op het gebruikelijke onderachtkant gebouwd want dan zouden er vier stijlen juist in de werkruimte bij de sleden komen te staan; men kiest daartoe het zeskant of het vierkant. Direct tegen de molen zijn een paar vast staande lage schuren aangebouwd, langer dan de luifels die bij de paltrok behoren (zie aldaar). Deze schuren en bij de paltrok de zijvleugels zijn steeds aanwezig en noodzakelijk om het personeel en een gedeelte van het drijfwerk tegen weersinvloeden te beschermen.

Het vangtouw van de bovenkruier wordt net als bij de paltrok naar binnen geleid om de molen vanaf de plaats bij de zaagramen onmiddellijk te kunnen stoppen, zo dit nodig mocht zijn.

Aantrekkelijke houtzaagmolens – afgezien van die in de Zaanstreek – kan men zien uit de trein van 's-Gravenhage naar Amsterdam even benoorden en bezuiden het station Leiden. Het zijn resp. 'De Herder' en 'd'Heesterboom'. Verder zijn er fraaie zaagmolens te IJlst, Woudsend (Fr), Woltersum (Gr) en Deventer.

Tenslotte bestaan er nog wel enige kleine typen houtzaagmolens: kleine boven kruiers en ook wel wipmolens (met een stelling). Zij dienen om lichter werk te doen en werden in de latere jaren wel eens met cirkelzagen uitgerust. De kleinste zaagmolen is het *lattenzagertje*, een kleine wipmolen op het dak van een schuur alwaar dubbele latten, enkele latten en de dunne houten 'rinkellatten' worden vervaardigd. Deze is vaak met een cirkelzaag uitgerust.

DE OLIEMOLEN

Behalve voor het malen en het pellen zijn er de molens voor het fijnmalen en stampen van de oliehoudende zaden zoals de oliemolens, de mosterdmolens en dergelijke, alsmede die voor het fijnmalen van allerlei grove en harde materialen. Onder de laatste vallen de molens die het verfhout tot verf verwerkten, de krijt-, tras- en soortgelijke molens. Dit fijnmalen geschiedt door middel van een *kollergang*, dat is een koppel stenen, *kantstenen* genaamd, rollend en daardoor tegelijk wrijvend, over een stenen onderligger, het zogenaamde *doodbed*.

De stenen lopen op hun kant en zitten op een as die door een spil, de *steenspil*, vanaf het gaande werk wordt aangedreven. Er is een *buitensteen* en een *binnensteen*, de laatste ongeveer twintig centimeter dichter bij de spil lopend, zodat een breed spoor door de twee stenen wordt bestreken. Tussen de rollende zware stenen en de eronder liggende vloersteen wordt het zaad fijngewreven. Een stel meelopende *strijkhouten* in gebogen vorm zorgt ervoor dat het onder de stenen uitgewalste zaad weer netjes in het spoor van de rollende stenen wordt teruggeschoven.

Na voldoende te zijn fijngemalen wordt het zaadmeel bij elkaar gestreken en door het openen van een schuif in een daaronder staande bak gestort.

In de oliemolens gaat het erom de olie uit de verschillende soorten zaad te persen: koolzaad, lijnzaad, raapzaad en ook wel hennepzaad. Deze oliën waren destijds in het dagelijks leven onontbeerlijk, zij dienden voor alle mogelijke doeleinden, o.a. voor verlichting (raapolie voor de snotneuzen).

In de oliemolen wordt het zaad eerst geplet, fijngemalen en gewreven in de kollergang, in moderne uitvoering ook wel door middel van ijzeren cilinders. Na al of niet te zijn verwarmd volgt het persen door middel van de heien en het fijnstampen door de stampers.

Oliemolen, 'De Zoeker', verfmolen 'De kat' en paltrok 'De Poelenburg' te Zaandam (v.l.n.r.).

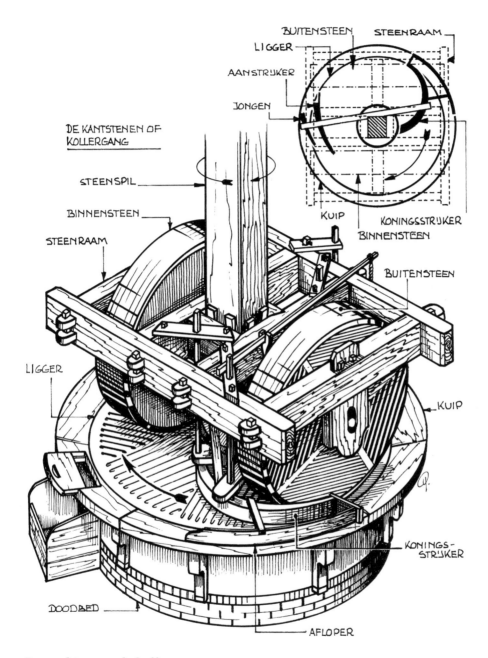

De werking van de kollergang

De stenen van de kollergang draaien van boven gezien met de wijzers van de klok mee. Er zijn twee stenen, die op hun kant rollen, de kantstenen. Zij beschrijven ieder een draaicirkel, zodat er sprake is van een binnensteen en een buitensteen. De beide stenen zijn gevat in een zwaar houten raam, het steenraam, dat bevestigd is aan de steenspil, die wordt aangedreven door een wiel om de wentelas.

De stenen lopen op een gemetselde verhoging, het doodbed. Op het doodbed ligt een natuurstenen vloer, de ligger. Deze ligger werd in de negentiende eeuw ook wel uitgevoerd in de vorm van een zware, gegroefde gietijzeren plaat, zoals op de tekening is te zien.

De stenen hebben naar boven en beneden enige speling in hun lagers om onef- fenheden op te vangen, die bijvoorbeeld ontstaan door opeenhoping van maal- goed.

De aanstrijker strijkt het produkt onder de binnensteen, de koningsstrijker doet dat onder de buitensteen. De jongen houdt de kuip schoon. Daarvoor is hij veelal uitgerust met een borstel om zijn werk beter te kunnen doen. Als het produkt genoeg gewalst en vermalen is, moet het van de ligger verwijderd worden. Daartoe dient de afloper. Als het produkt zijn bewerking onder de stenen ondergaat, is de afloper opgehaald met de over het steenraam lopende hefstok. De afloper draait dan dus vrij van de ligger mee.

Laat men de afloper neer, dan vormt deze met de koningsstrijker één geheel, doordat de gekromde achterwand van de afloper in één vlak komt te liggen met de kromme koningsstrijker, zoals te zien is op de tekening. Zij vormen nu te zamen een bak zonder bodem waarin het maalgoed zich door het rond- draaien verzamelt. De afloper is versterkt met een dwarsbalkje om de grote zijwaartse druk van het zich opzamelende produkt op te vangen. Door nu de schuif in de kuip te openen, valt het produkt vanzelf in de bak daaronder, de zogenaamde voorslagsmeelbak. Deze is van de kuipwand afneembaar. Het verkregen voorslagsmeel gaat nu in de voorslagpers om de olie eruit te persen na eerst meestal voorverwarmd te zijn op de vuister. De omwentelingssnelheid van de kantstenen is niet groot. De kuip is enigszins schuin omhoog staand om het afvallen van het produkt te voorkomen. In sommige oliemolens werd de kollergang in de negentiende eeuw wel vervangen door cilinders, maar over het algemeen heeft hij zich goed kunnen handhaven. De kollergang in andere molens (verf- en mosterdmolens bijvoorbeeld) werkt in principe op dezelfde wijze.

Een molen met *enkel werk* bezit, behalve het stel kantstenen, een voorslaghei en twee stampers. De meeste molens hadden echter een zogenaamd *dubbel werk*: een voorslagheiwerk, zes stampers en een naslagheiwerk, waarover zo meer. Zelfs waren er enkele molens die met twee dubbelwerken waren uitge- rust.

Om deze heien en stampers in beweging te kunnen brengen is de molen als volgt ingericht. Op de bovenas zit het bovenwiel, dat de bovenbonkelaar aandrijft en de koningsspil doet draaien, geheel op de wijze als in de andere molens. Aan het ondereinde heeft de koningsspil een tweetal schijflopen of bonkelaars: de bovenste drijft het rad van de steenspil aan, het *steenwiel*, om de kollergang in beweging te brengen en het onderste werkt op een groot kamrad van circa drie meter doorsnede, het *wentelwiel*. Dit wentelwiel is op de horizontaal in de molen liggende zware *wentelas* aangebracht en onder de wentelas is aan de ene zijde het *voorslagblok* opgesteld, aan de andere kant het *naslagblok*. In de wentelas zijn verschillende nokken gestoken, de *spaken*, die bij het ronddraaien van de as de lange zware balken, de heien en de stampers, kunnen optillen aan de uitsteeksels, de *vuisten*, die aan de boveneinden ervan zitten.

Naast de kollergang is een stookplaats, de *vuister*, gemetseld van vuurvaste steen; deze wordt gestookt met bijv. briketten (en vroeger veelal turf) en dient om het fijngemalen zaad, het *zaadmeel*, voor te verwarmen. Tegenover de vuister staat het voorslagblok.

Een kapitale industriemolen zoals men ze nog maar zelden aantreft in Neder-land is de olie- en korenmolen 'Woldzigt' te Roderwolde (Dr) uit 1852 en gebouwd voor f 16.000. De beide woningen waren voor de molenaar en een knecht. Thans is de rechterwoning nog bewoond, terwijl de linker ingericht is tot graanmuseum. Bijzonder is, dat het gehele ondergedeelte is uitgevoerd in steen. De totale frontbreedte bedraagt 37 m.

Het verwarmde zaadmeel gaat in een wollen zak de *buul* genaamd welke wordt ingepakt in een leren omslag gevoerd met gevlochten paardehaar in de vorm van een soort matje. Bij het persen kan de olie door de vele poriën van het weefsel ontwijken. De leren omslagen met paardehaar heten *haren*.

Het pak wordt in de daarvoor bestemde holte van het voorslagblok gelegd en met behulp van *vulstukken* daarin opgesloten.

Daarbij zijn ook twee houten wiggen, de *beitels*, waarvan de ene met de dikke kant naar boven en de andere met de dikke kant naar beneden wordt ingezet. De eerste is de *slagbeitel*, de laatste heet de *losbeitel*. Boven het blok hangen de twee heien, de *slaghei* en de *loshei*.

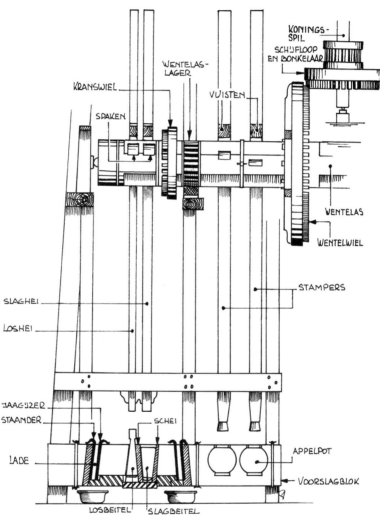

HET VOORSLAG VAN EEN OLIEMOLEN

De koningsspil drijft met een bonkelaar het wentelwiel en daardoor de wentelas aan. De schijfloop boven de bonkelaar drijft het steenwiel en daardoor de kollergang aan. De spaken (nokken) op de wentelas draaien op de wentelas mee en lichten de vuisten (nokken) van de heien en stampers op en daardoor de heien en stampers zelf. De buul met meel in de haar zit tussen de staander en het jaagijzer.

124

De slaghei valt naar beneden als de spaak die hem oplichtte, voorbij is en valt op de wigvormige slagbeitel. Doordat deze bij iedere slag steeds dieper komt, ontstaat er een hoge druk en de haar met buul en inhoud worden samengeperst. De olie loopt door openingen onder uit het blok in de eronder staande oliebak.

De slaghei wordt nu uit zijn werk gesteld ('geschort') door hem met een touw hoger op te halen, zodat de spaken onder de vuisten, doch vrij daarvan, ronddraaien.

Met de loshei slaat men nu een paar keer op de losbeitel, een contrawig, zodat er ruimte ontstaat in de samengeperste wiggen en scheien (= vulhout om de druk op te vangen).

Met een ijzeren staaf wrikt men de staander en het jaagijzer wat losser en de haar met inhoud kan uit zijn ruimte (de lade) gehaald worden.

Door de stampers worden de door het heien verkregen veekoeken gebroken. Dit gebeurt in de komvormige appelpotten. Het aldus verkregen meel ondergaat een zelfde bewerking van de heien in het naslagblok. Om de laatste olie eruit te kunnen krijgen, zijn de beitels daar minder schuin van vorm en geeft de slaghei per minuut meer slagen dan die van het voorslag. Het kranswiel drijft de roerijzers van de vuister aan om aanbranden van het verwarmde zaadmeel te voorkomen. Door zijn zwaarte en lengte is de wentelas op meer dan twee plaatsen gelagerd.

Men zet dan de slaghei in werking en door de vele slagen op de slagbeitel wordt de inhoud als gevolg van de wigvorm zeer sterk samengeperst. Al te snel dient dit niet te geschieden, want de olie moet de tijd hebben om door alle gaatjes te kunnen wegvloeien naar de eronder staande opvangbakken. Daarom zijn er voor de voorslaghei slechts twee nokken op de wentelas.

Na een vijftigtal slagen is de massa voldoende uitgeperst en een paar klappen van de loshei op de losbeitel is voldoende om de vulstukken te kunnen verwijderen en de tot een koek geworden massa 'uit de doeken' te doen. Er zit dan nog wel wat olie in, maar die wordt er door het naslaan nog wel uitgehaald. Daartoe wordt de koek in de zgn. *appelpotten* onder de *stampers* gebroken en fijngestampt om dan, na opnieuw te zijn verwarmd in de naslagvuister nog eens een zelfde bewerking in het naslagblok te ondergaan.

Is op deze wijze de meeste olie verwijderd, dan kan de koek, waarin toch altijd nog enkele procenten olie aanwezig zijn, worden uitgenomen en opgeslagen om als veevoeder te worden verkocht.

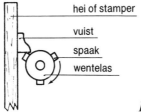

Het lichten van de heien en stampers.

Tot controle op het juiste aantal slagen met de hei dient een belletje dat door een krabbelwerkje (zie onder de zaagmolen) na een ingesteld aantal slagen in werking wordt gesteld en dan te midden van het oorverdovende kabaal van de stampers de man die het toezicht heeft waarschuwt dat kan worden *gelost*.

Een in volle werking zijnde olieslagerij is met zijn vele dreunende slagen tot ver in de omtrek te horen en in de molen zelf is het zo'n geweldig gebonk dat men elkaar moeilijk kan verstaan. Verschillende gevallen van 'hei-doofheid' kwamen vroeger dan ook voor.

Hoe men het, in de naaste omgeving wonende, uithield met het lawaai dat dag en nacht doorging is voor een buitenstaander een raadsel. Maar het schijnt dat men er op den duur aan gewend raakte en het niet meer hoorde. Ja, men werd

De kollergang, een stel stenen rollende op hun kant.

126

des nachts wakker als de molen eens, om welke reden dan ook, stil ging staan en het eigenaardige geval deed zich dan voor dat men dan door 'het nare geluid' van de ongewone 'stilte' niet meer in slaap kon komen!

De nog bestaande windoliemolens zijn de olie- en pelmolen te Rijssen (Ov), 'Het Pink' te Koog aan de Zaan, 'Woldzigt' te Roderwolde (Dr), 'De Passiebloem' te Zwolle, 'De Wachter' te Zuidlaren (Dr) en 'De Zoeker', 'De Ooievaar', 'De Os' en 'De Bonte Hen' aan de Zaanse Schans te Zaandam. In het openluchtmuseum 'De Erve Kots' te Lievelde (Gld), staat een rosoliemolen, aangedreven door een paard dus, zo'n type is ook nog te vinden in het Nederlands Openlucht Museum te Arnhem. De enige oliemolen die beroepshalve nog dagelijks in bedrijf is, is 'De Zoeker' aan de Zaanse Schans te Zaandam.

Monnikmolen

DE ANDERE INDUSTRIEMOLENS

De inrichting van de verschillende andere soorten industriemolens die we al meer dan eens hebben genoemd, verschilt vaak niet van hetgeen we hiervoor in onderdelen hebben aangegeven en het zou te ver voeren wanneer we al deze molensoorten afzonderlijk nader zouden beschrijven.

In de papiermolens worden door de draaiende spillen maal- en roerwerken aangedreven. In de verf-, krijt-, run- en soortgelijke molens, waarin het een of andere materiaal wordt fijn gewreven, werken de kantstenen op de wijze zoals wij bij de oliemolen hebben gezien. Stampers werkten in volmolens en tabaks-stampers.

Verschillende details moesten onbesproken blijven, maar we hebben een indruk gekregen van de wijze waarop de molens hun zeer gevariëerde taak konden verrichten.

De industriemolens kwamen al naar gelang de behoefte door heel het land voor. De koren- en pelmolens waren daarvan wel het meest verbreid en het regelmatigst over het land verspreid. Soms kwamen concentraties van een bepaald soort industriemolens voor zoals zaagmolens in de Zaanstreek en rond de grote steden van Holland, oliemolens in de Zaanstreek en door waterkracht aangedreven papiermolens in Gelderland vanwege het heldere beekwater benodigd voor het maken van wit papier.

Waar we evenwel bij de beschrijving geen indruk van konden verkrijgen, is de zeer knappe wijze waarop de verschillende houtconstructies door het molenmakersgilde in lang vervlogen tijden reeds werden uitgevoerd; zij wijzen op een hoog ontwikkeld vakmanschap. Ook de talloze kleinigheden, zo wel doordacht en met zoveel zorg uitgevoerd, vervullen ons met bewondering voor de mannen die met toch eigenlijk zeer eenvoudige gereedschappen, dit alles in zo volmaakte staat konden uitvoeren. Het loont dan ook voor iedere belangstellende de moeite om de molens ook van binnen aandachtig te bezien.

WATERMOLENS

Watermolens zijn molens die door stromend water worden aangedreven door middel van een waterrad of turbine. Zij komen in ons land nog voor in Overijssel, Gelderland, Noord-Brabant en Limburg.

De watermolen is als type al zeer oud. De Romeinse geschied- en bouwkundige Vitruvius (1ste eeuw v.Chr) beschrijft er een en het is dan ook niet te veel gezegd, dat de watermolen een grotendeels Romeinse uitvinding is. Zij zijn het ook die tijdens hun overheersing van een groot deel van West-Europa de watermolen hebben verbreid. Vermeldingen van (niet meer bestaande) watermolens in onze dreven gaan terug tot de 8ste eeuw. In Gelderland wordt er een genoemd in 970, in Vlaanderen een in 1093 en een in het oorkondenboek van Holland en Zeeland in 922. Deze laatste zal wel een getij- of schipmolen zijn geweest.

De *schipmolen* ontstond in het jaar 536. In dat jaar belegerden de Oostgoten Rome. Dezen verstoorden de watertoevoer naar de stad om zodoende de molens van hun water te beroven en er op deze manier voor te zorgen, dat door gebrek aan meel een voedseltekort in de stad zou ontstaan om haar zo tot overgave te dwingen. De veldheer Belisarius echter, nam tegenmaatregelen en liet uit nood enkele waterraderen plaatsen op schepen die in de rivier de Tiber lagen om zo toch nog van voedsel verzekerd te zijn. Deze noodsprong leverde zo het type van de schipmolen op en zodoende werd Belisarius ongeweten en ongewild de uitvinder van een nieuw type watermolen!

Ook in ons land zijn schipmolens op verscheidene plaatsen toegepast, onder andere in Tiel, Deventer, Nijmegen en Maastricht. Van dit type zijn echter geen voorbeelden bewaard gebleven.

De zojuist genoemde *getijmolen* is een apart type watermolen dat gebruik maakt van de stroming van eb en vloed. Als het vloed werd, liet men een kom of een aantal slootjes of grachtjes vollopen met zeewater. Als de vloed op zijn hoogste punt was, sloot men deze bewaarplaats van water, de *houwer* genaamd, af en als het eb werd, liet men de houwer langs het waterrad leeglopen en benutte men op deze wijze indirect de stroming van eb en vloed. Van de plaatselijke omstandigheden hing het natuurlijk af of de molen veel of weinig rendement had: de meest ideale situatie werd uiteraard benaderd, als men een houwer kon maken, die zoveel water kon bevatten, dat men de volle tijd van de eb kon malen. Een voordeel van deze wijze van aandrijven was, dat men altijd verzekerd was van een vast aantal maaluren per etmaal. Het nadeel was, dat deze molens slechts met onderbrekingen in bedrijf konden zijn. In het westen zijn verscheidene van deze molens in bedrijf geweest, maar geen van deze molens is bewaard gebleven.

In België is nog een getijmolen bewaard gebleven te Rupelmonde (Kruibeke), Oost-Vlaanderen. Deze molen, de Spaanse Molen, ligt aan de Vliet, een zijarm van de Schelde en maakt gebruik van de daar optredende getijstroming. Hij werd gebouwd in 1517, in 1967 vernieuwd en in 1970-'71 tot museum ingericht. De molen heeft een houten en een ijzeren rad.

Getijmolens zijn in ons land onder andere te vinden geweest in Den Briel, Delfshaven (gemeente Rotterdam), Dordrecht, Schiedam en in Zeeland zijn er ook een aantal geweest. Tot de laatste watermolens in het westen van ons land behoorden twee volmolens te Gouda. Zij onttrokken via twee kokers hun water aan de Hollandse IJssel en lieten dat langs hun rad via twee stadsgrachtjes aflopen op de boezem van Rijnland. Ofschoon de molens aan een maalreglement onderworpen waren, werden de lozingen door de verkleining van de boezem ten gevolge van de inpoldering van de Haarlemmermeer toch bezwaarlijk. Het Hoogheemraadschap van Rijnland kocht daarom in 1869 de stuwrechten van de gemeente Gouda af voor *f* 58.000 en sloot daarna de kokers af. (*Stuwrechten* zijn de rechten tot opstuwing en lozing van stromend water ten behoeve van een watermolen, te vergelijken met het *windrecht,* het recht op vrije windvang van een windmolen).

Behalve de reeds genoemde vermeldingen weten we van een waterkorenmolen te Apeldoorn in 1335/1336. In 1407 blijkt deze molen tevens oliemolen te zijn.

Van de nog bestaande molens weten we, dat bijvoorbeeld de Bisschopsmolen te Maastricht voor 1099 moet zijn verrezen, de Nekumermolen in dezelfde gemeente, alsmede de Millenermolen bij Millen (L) uit de 12de, respectievelijk 13de eeuw stammen, de Oude of Banmolen te Valkenburg uit de 11de eeuw is en die te Wijlré (L) voor 1275 reeds bestond. Vaak kan men aan de hand van de oudste vermeldingen slechts vaststellen, dat een bepaalde molen in genoemd jaar reeds bestond. Het betreft dan vaak vermeldingen waarin de molen terloops wordt genoemd, bijvoorbeeld bij overdracht van eigendom, bij de opsomming van de bezittingen van bijvoorbeeld een edelman of een klooster, reparatierekeningen enzovoort.

Uiteraard zijn de meeste molens die hier zijn genoemd en die thans nog bestaan, in de loop der eeuwen één of meermalen vernieuwd, maar de verschijning van de watermolen in de Lage Landen in een betrekkelijk vroeg stadium staat wel vast. Van de watermolens die de Romeinen tijdens hun overheersing van ons land ongetwijfeld hebben gebruikt, is ons niets in concreto overgeleverd.

Komen we nu tot de eigenlijke bespreking van de watermolen.

De door water gedreven molens kan men in twee hoofdgroepen onderscheiden: de eigenlijke radmolens die een waterrad bezitten en de turbinemolens. De radmolens kan men weer onderscheiden in drie typen, te weten de bovenslagmolens, de middenslagmolens en de onderslagmolens.

Bij de *bovenslagmolens* wordt het water boven op het rad geleid, dat dus in beweging komt door het vallende water. Bij de *middenslagmolens* wordt het water ongeveer te halver hoogte op het rad gevoerd en zet het aldus in bewe-

Bij de onderslagmolen stroomt het water onder het waterrad door en drijft het zo aan. De sluizen zijn te bedienen vanaf de molenbrug.

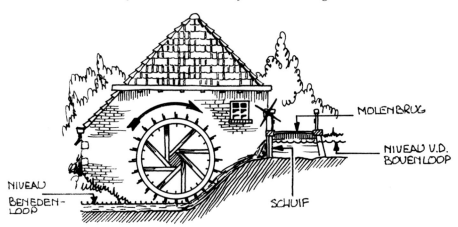

Bij de middenslagmolen valt het water hoger op het rad, ongeveer te halver hoogte, maar wel op de onderste helft.

ging. Bij de *onderslagmolens* stroomt het water onder het rad door en drijft het op die manier aan.

We bezien nu eerst de bovenslagmolen wat nader. Aangezien het water hier boven op het rad wordt gevoerd, dient men het water van een bepaalde hoogte aan te voeren. Dit geschiedt via een goot die op een reeks palen of stammetjes staat en die over het rad loopt. Ter hoogte van het rad zit een luik in de goot dat als de molen maalt, open staat, want door dit luik valt dan het water op het rad, waardoor het aangedreven wordt.

Dit geheel van goot en palen noemt men het *molenhoofd*. Maalt de molen niet, dan is het luik gesloten en stroomt het water over het rad heen, zodat het niet meer draait. Vaak ook leidt men het water langs een andere weg af, zoals we trouwens straks nog zullen zien.

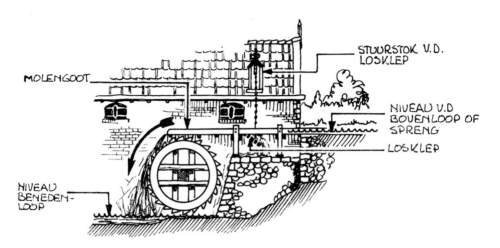

Bij de bovenslagmolen wordt het water aangevoerd over een goot en dit brengt het rad in beweging door op het rad te vallen.
In dit voorbeeld wordt het water via een losklep om het rad geleid als de molen niet maalt. De functie van de klep is dus hier omgekeerd aan die van de maal-klep, zoals beschreven is in de tekst.
De spreng is de beek.

Alvorens de bespreking van de werking voort te zetten, dienen eerst twee begrippen verklaard te worden: onder *benedenstrooms* of *beneden* verstaat men dat gedeelte van de beek, waar het water stroomt, dat de molen gepasseerd is. Onder *bovenstrooms* of *boven* verstaat men het gedeelte van de beek, waar het water stroomt, dat de molen nog moet bereiken.
Om nu van voldoende water verzekerd te zijn, heeft men bijna altijd boven-strooms van de molen een stuwvijver, de *wijer* geheten, waarin een bepaalde hoeveelheid water wordt verzameld om voldoende verval te krijgen en te hou-den. (*Verval* is het verschil in hoogte van de waterspiegels bovenstrooms en benedenstrooms van de molen). Het belang van zo'n wijer spreekt in droge tijden voor zich, doch kan ook in normale tijden nauwelijks gemist worden. De wijer vervult hier dus dezelfde functie als de houwer bij de getijmolens, alleen de wijze van voeding is uiteraard anders.
Om het eigenlijke molenhuis buiten de maaluren zoveel mogelijk te sparen, heeft men vanuit de wijer vaak een omleidingskanaaltje gegraven, dat het dan overtollige water benedenstrooms van de molen weer op de beek brengt, zodat niet 24 uur per etmaal de stroom langs het molenhuis en zijn fundering schuurt. (Dat desondanks de gebouwen veel te lijden hebben van het voortdurende watergeweld, bewijzen wel de voortdurende herstelwerkzaamheden aan de fundering en de vernieuwingen van de molenhuizen, die er in de loop der eeu-wen hebben plaatsgevonden). Overigens heeft men wel degelijk de nodige voor-zorgsmaatregelen getroffen om de fundering en het eventuele heiwerk eronder te sparen: op de bodem van de beek heeft men tegen de uitspoeling een verharde

De bovenslagkorenmolen 'Van Lennepsmolen' te Velp (Gld). Duidelijk is het molenhoofd te zien, dat het water aanvoert. Het rad loopt op kogellagers. Het buitenlager is omtimmerd om het droog te houden. Het molengebouw is gedekt met riet. Het rad is 1,4 m breed en 2,4 m in doorsnede en wordt gedreven door de Rozendaalse of Velpse Beek.

bodem aangelegd van balken, steen of beton, het zogenaamd *vlotwerk* of *stortbed*. Was dit er niet, dan zou zich binnen korte tijd een meters diepe kolk hebben gevormd, waarin het molenhuis op den duur zou wegzakken. Deze voorzorgsmaatregelen neemt men vanzelfsprekend bij alle soorten watermolens.
Ondanks de stevige bodem die de hogere delen van ons land over het algemeen kenmerkt, is er een aantal molens op palen gefundeerd, waarschijnlijk al met het oogmerk ze zo stevig mogelijk te verankeren om niet al te snel weer kostbare herstelwerken te hoeven uitvoeren.
Bij de papiermolens had de wijer nog een andere functie: hij diende als bezinkingsplaats voor het vuil dat in het beekwater werd meegevoerd, met name de ijzerafzettingen moesten op deze wijze eerst uit het water verdwijnen, daar anders het papier geen mooie witte kleur kreeg. Deze ijzerafzettingen bleven op de bodem achter en staan bekend onder de naam 'rodolm'.
Zoals bij de windmolen de wieken de windenergie omzetten in nuttig vermogen, zo doet het waterrad dat met de energie die het water levert. We bezien nu eerst de raderen wat nader. De uitvoering daarvan verschilt hier en daar nogal. Vroeger waren alle raderen geheel van hout. De houten raderen hebben zich echter slechts in Twente weten te handhaven. De beschrijving van zo'n houten rad (type onderslagrad) zoals dat thans nog in Twente voorkomt, volgt hieronder

met de daarbij horende daar gebezigde termen.

De opbouw van zo'n houten onderslagrad is als volgt: het rad is in zijn midden bevestigd aan de *wateras,* net als het sch**e**prad bij de windmolen. Het rad heeft een aantal van de wateras aflopende *spaken,* ook wel *armen* genoemd. Aan de omtrek of nagenoeg aan de omtrek van de spaken loopt een cirkelvormige zware, houten band, de *velg* of *ring,* die de eigenlijke omtrek van het rad vormt. Op deze velg zijn haaks op gelijke afstanden de steunen voor de schoepen bevestigd. Deze steunen heten *vosten.* Aan deze vosten zijn de *schoepen* of *schoffels* vastgemaakt, die in hun eenvoudigste uitvoering de vorm hebben van rechthoekige planken, die vrij dik zijn om de druk van het stromende water te kunnen weerstaan. Zij zijn met één van hun lange kanten op de velg bevestigd en steunen met hun achterkant tegen de zojuist genoemde vosten. Om de schoepen aan de zijkanten de nodige steun te geven, zijn ze daar vaak gevat in twee rond de omtrek van het rad lopende houten banden, de *revels.*

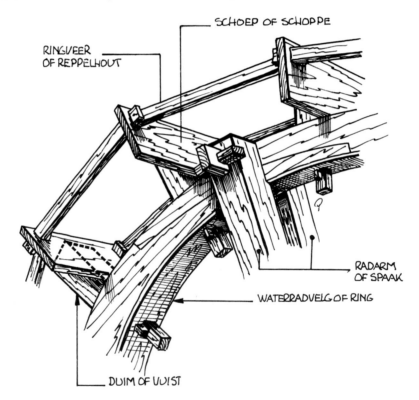

Fragment van een houten onderslagrad
De beschrijving in de tekst sluit aan bij de tekening. De wateras is op deze tekening niet zichtbaar. Enkele onderdelen zijn met termen benoemd die elders voorkomen: duim of vuist = vost; schoppe = schoep of schoffel; ring-veer of reppelhout = revel. Voor het overige wijst de beschrijving in de tekst zich vanzelf.

134

Het rad zit, zoals we zagen, vast op een wateras die het molenhuis inloopt en daar via overbrengingen het gaande werk aandrijft. De wateras zullen we straks nog nader bezien.

De werking van de middenslagraderen is in principe gelijk aan die van de onderslagraderen, doch door een groter verval is het hier mogelijk om het water halverwege op het rad te brengen. De eigenlijke maalsluis (waarover straks meer) is dan zo aangepast, dat het water onder een bepaalde hoek het rad treft, om zo het rendement te vergroten. De schoepen zijn dan vaak gebogen van vorm. Het bovenslagrad is anders van uitvoering dan de onder- en middenslagraderen. De schoepen zitten hier veel meer verzonken tussen de revels en vormen als het ware een half openstaand rondgaand jaloezieschot, waar het water op valt. De binnenzijde van het rad is hier rondom dicht getimmerd om het water vast te houden.

Het zal duidelijk zijn, dat bij de bovenslagmolens het rad wat omvang betreft, zijn beperking vindt in de valhoogte van het water, immers, het water valt *op* het rad. Als regel kan men stellen, dat deze raderen een doorsnede hebben van 3

In het buurtschap Opwetten bij Nuenen (N-B) ligt De Opwettense Watermolen met de grootste nog bestaande raderen in Nederland. Ze zijn van ijzer met houten schoepen en hebben een doorsnede van 7,5 resp. 9,3 m en een breedte van 80 cm en zijn onderslagraderen. Voor de sluizen zien we een primitief krooshek om meedrijvende ongerechtigheden te weren. In het rechtergebouw is de korenmaalderij, in het linker bevond zich vroeger een olieslagerij. De molen ligt op de Kleine Dommel.

à 4 m, maar kleinere (tot 1,5 m) komen ook voor. Als maat wordt in de regel aangehouden een doorsnede die 1 à 2 dm kleiner is dan de vervalhoogte van het water. De middenslagraderen hebben een grotere omvang, die wisselt van 3 tot 6 m. De onderslagraderen hebben de grootste afmetingen. Deze kunnen tot wel zo'n 9 m bedragen.

Uit een en ander volgt, dat de draaibeweging van het onderslag- en het middenslagrad tegengesteld is aan die van het bovenslagrad, immers bij de eerste twee treft het water de onderste helft van het rad, terwijl bij de laatste het water op het rad valt.

Overigens moet men zich bij de onderslagraderen geen verkeerde voorstelling maken: het zijn geen raderen die in een rustig voortkabbelend beekje zijn gehangen en daar rustig in rondwentelen. Door stuwwerken heeft men ook hier een kunstmatig verval geschapen, waardoor een soort stroomversnelling optreedt en waardoor het onderslagrad in het algemeen een behoorlijke omwentelingssnelheid heeft tijdens het malen. Wat dat betreft, is er dus een duidelijk verschil op te merken met de schipmolens, die het van de directe stroomsnelheid van de rivier moesten hebben.

De beschreven opstuwing van het water past men bij alle molens toe, want het natuurlijk verval is hier niet zodanig, dat men het zonder dit hulpmiddel kan stellen.

Zoals we al eerder opmerkten, is er in de uitvoering van de raderen nogal wat verscheidenheid. Bij de onderslagraderen komen bijvoorbeeld ook exemplaren voor met twee velgen, met schoepen die meer of minder buiten de eigenlijke omtrek van het rad uitsteken, mét revels en zonder. In het Limburgse met name, is de ondersteuning van de schoffels, althans zo blijkt uit oude foto's en andere afbeeldingen, toch iets anders van uitvoering (geweest).

Om de stroming van het water beter te benutten, ging men er in de vorige eeuw wel toe over om de schoepen een gebogen vorm te geven, zoals we al bij de beschrijving van het middenslagrad zagen. Men bereikt hiermee, dat het water als het ware beter 'gevangen' wordt, hetgeen het nuttig vermogen uiteraard verhoogt. Om de vallende beweging én het gewicht te benutten, paste men soms *bakvormige* schoepen toe, zoals thans nog te zien is aan de molen bij Middelaar (L). Soms is het rad ombouwd, zoals te zien is in o.a. Eindhoven (Gennepermolen), Valkenburg, Hulsen (L) en Berg-Geulhem (L).

Als de beek niet al te breed is, is de molen soms over de beek heen gebouwd en stroomt deze dus onder het gebouw door. Het rad bevindt zich dan in het midden van het gebouw, doch dit komt niet zo veel voor.

In de 19de eeuw werd, net als bij de windmolens, veel gietijzer en ijzer toegepast. Dientengevolge zijn er vrij veel ijzeren raderen bewaard. Combinaties van hout en ijzer komen ook voor: ijzeren armen en velgen met houten schoepen, maar ook houten raderen met ijzeren schoepen en natuurlijk geheel ijzeren raderen. Ook de wateraassen vertonen een grote verscheidenheid in materiaal, uitvoering en lagering, veel meer dan bij de windscheepradmolen het geval is. Naast de houten wateraassen komen gietijzeren voor. De houten assen zijn voorzien van schenen op de lagers tegen slijtage en van stroppen of ander ijzerwerk tegen het scheuren en breken van het hout. De lagering kan op verschillende wijzen geschieden: naast hardstenen glijlagers komen ook houten lagers voor, bronzen lagers en de moderne kogellagers. De schenen zijn soms net als bij de windmolens wel het geval is, vervangen door een gietijzeren *muts,* die het gehele lager omvat. Dit is onder andere het geval bij de Hooijdonkse Molen te Nederwetten (N-B). In Limburg overheersen de ijzeren raderen en gietijzeren assen. In Brabant zijn de assen meestal van gietijzer, terwijl er een aantal molens is uitgerust met een rad dat is opgebouwd uit hout en ijzer. In Overijssel daarentegen, zijn deze onderdelen steeds van hout vervaardigd. In Gelderland tenslotte, zijn de waterassen bijna allemaal van gietijzer, maar de raderen van hout, met een enkele uitzondering.

De Bovenste Molen, gelegen op de Geul bij het dorpje Mechelen nabij Wittem (L). De molen is een middenslagmolen. Het gebouw is zoals alle in Limburg, van steen. Rechts de tandheugels van de maalsluis; links de lossluis.

De industriële revolutie van de 19de eeuw is ook in andere opzichten de water-molens in veel gevallen niet onopgemerkt voorbij gegaan. Vooral in Limburg zijn erg veel 19de-eeuwse verbeteringen ingevoerd. We kunnen met enig recht beweren, dat Limburg wat de watermolens betreft, de provincie is, waar men op vrij grote schaal de watermolens heeft trachten aan te passen aan de eisen van de tijd.

Eén dezer aanpassingen was de verbetering van de oude vorm van de raderen, die we hierboven al noemden. De 19de eeuw heeft wat dat betreft, fraaie staaltjes opgeleverd. Eén voorbeeld is het zogenaamde *sagebienrad,* een ijzeren rad met gebogen schoepen, die bijna tot aan het midden van het rad doorlopen. Door het water via een schuin gestelde sluis tegen het rad aan te laten lopen, verkrijgt men een hoger rendement. Dit type rad werd in de 19de eeuw uitge-vonden door de Fransman Sagebien. Op grond van soortgelijke overwegingen ontwikkelde de Duitser Zuppinger een ongeveer gelijksoortig rad, waarvan we weer een voorbeeld in moderne uitvoering kunnen zien aan de Bovenste Molen te Mechelen (L).

Raderen gebaseerd op 19de-eeuwse verbeteringen treft men bovendien aan bij de Kruitmolen in Valkenburg (een zeer groot rad) en bij de Volmolen te Epen (L).

De meest ingrijpende vernieuwing is echter wel de uitvinding van de *turbine* geweest, een Latijns woord, dat eigenlijk wervelwind, draaikolk en tol bete-kent.Het prototype werd uitgevonden door de Fransman Burdin in 1824, die hem tevens zijn naam gaf.

Grathem (L). De turbinekorenmolen op de Uffelse Beek. Tot 1874 was deze molen van een rad voorzien. De turbine bevindt zich in het gewelf. De sluizen ernaast zijn de lossluizen.

De turbine is een betrekkelijk klein rad van ijzer dat geheel omgeven is door een ijzeren mantel. Deze mantel bestaat uit een reeks jaloezieën rondom het rad, die de molenaar naar believen meer of minder kan openen. Het stromende water kan zo de eigenlijke turbine bereiken en laat deze snel ronddraaien, vandaar de naam. Doordat er weinig lekverlies optreedt, omdat de turbine geheel omgeven is en doordat hij zich geheel onder water bevindt in een stenen, betonnen (en een enkele keer plaatijzeren) schacht, is dit werktuig een grote stap voorwaarts geweest in de strijd van de watermolens tegen de mechanische drijfkracht, die ook zij hebben moeten voeren, net als de windmolens. De turbine komt thans alleen nog voor in Limburg met één uitzondering en wel die van één van de molens van Vaassen (G). In Limburg echter zijn zij eveneens in de minderheid. De laatste jaren zijn ze nogal eens 'weggerestaureerd', omdat zij ontegenzeggelijk landschappelijk gezien geen betekenis hebben (je ziet ze immers niet), maar uit industrieel-archeologisch oogpunt zijn de laatste zeker het behouden waard. In de turbines kent men verscheidene types, met een hoofdverdeling in staande (verticale) en liggende (horizontale) turbines. Bespreking van deze types en uitvoeringen gaat echter het bestek van dit hoofdstuk te buiten. Wel vermelden wij nog dat in de loop van de 19de eeuw diverse belangrijke verbeteringen tot stand zijn gekomen.

Veel meer dan bij de windmolens het geval is, is in de loop der tijd gietijzeren drijfwerk in de watermolens toegepast. Met name in Zuid-Limburg zijn onder invloed van de industriële ontwikkeling in het Luikse Bekken al sinds de jaren zeventig van de 19de eeuw, de meeste houten molenwerken en dito raderen vervangen door ijzeren. Zij bezaten vaak een conische overbrenging van de wateras naar de spil en vrijwel steeds ingezette houten kammen in de grote kamwielen en kleine kamwielen (de rondsels) geheel van gietijzer. Een bekende fabrikant was de inmiddels verdwenen firma G.J. Pasteger & Fils te Luik (België). Zo'n machinefabriek leverde ook de houten steenkuipen met karen en dergelijke, die werden gemaakt in de modelmakerij. Het fraaie houtdraaiwerk aan stijltjes en pootjes geeft hiervan blijk. Een modernere wijze van overbrenging door middel van drijfriemen komt overigens ook voor.

De stenen van de korenmolens worden vaak aangedreven met een *onderaandrijving*. Dit type aandrijving overheerst. Omdat de wateras betrekkelijk laag zit (en dit geldt in versterkte mate voor de turbineas) is het voor de hand liggend, dat men de aandrijving van de lopersteen (evenals in de windmolens ook hier de bovenste steen) laat gebeuren van onderuit. De overbrenging bevindt zich in dat geval dus niet boven het koppel stenen, maar eronder. Voor het overige is deze soort aandrijving in principe gelijk aan de bovenaandrijving van windmolens. Zoals we hebben gezien, kan het waterrad al naar gelang het type en ook naar gelang de ligging aan de beek (namelijk aan de linker- of rechteroever) zowel links als rechtsom draaiend zijn. Dit heeft uiteraard gevolgen voor het gaande werk in de molen en we treffen dan ook zowel links als rechtsom draaiende stenen aan, evenals we trouwens al bij de standaardmolen hebben gezien.

139

Voorbeeld van de inrichting van een korenwatermolen met 19de-eeuws gietijzeren drijfwerk (De Bovenste Molen te Mechelen (L)).
Het waterrad drijft het grote verticale onderwiel aan. Dit drijft met een overbrenging door middel van een conisch uitgevoerd rad het (horizontale) grote spoorwiel. Dit drijft op zijn beurt de steenrondsels aan. Op de voorgrond is één van de twee rondsels te zien. Dit is door middel van een in de steenspil aanwezige spiebaan in en uit zijn werk te zetten. Deze spiebaan is onder het uit zijn werk gestelde rondsel als een smalle gleuf te zien. Het steenrondsel wordt door een ijzeren arm rechts daarvan ondersteund. De hefboom onder de steenspil en boven het hekje is de pasbalk. Deze kan gesteld worden door het wieltje boven het hekje. (Dit gaat niet zo snel als het systeem met een contragewicht bij de windkorenmolen, maar dat is niet zo een bezwaar, daar de stroomsnelheid van een beek over het algemeen veel constanter is dan die van de wind, zodat aanpassing van de afstand tussen de stenen niet zo vaak hoeft te gebeuren als bij de windmolen). Op de voorgrond een steunconstructie voor de steenzolder. De kokers links zijn de meelkokers waar het meel in loopt vanaf de stenen in de zakken.
Het spoorwiel is uitgerust met houten kammen, de rondsels zijn geheel van

140

gietijzer. Boven het spoorwiel bevindt zich een onafhankelijk daarvan werkend tweede spoorwiel met houten kammen, dat aangedreven kan worden
door een hulpmotor.

Boven de begane grond bevindt zich de steenzolder. Hieruit volgt, dat de
molen onderaandrijving heeft. Het spoorwiel drijft ook de jacobsladder of
bakelevator aan: het rondsel tussen de maalstoelen drijft, via een tweede rondsel, een as aan. Aan het uiteinde daarvan is een poelie verbonden. Deze drijft
door middel van een lange drijfriem een tweede as aan via een aan die as
draaiende tweede poelie. Naast laatstgenoemde bevindt zich een derde poelie,
die door de gekruiste drijfriem een vierde poelie aandrijft, die aan de eigenlijke jacobsladder is verbonden. De bakjes stijgen en dalen in de houten kokers
links. De vierde poelie die de jacobsladder drijft, bevindt zich bovenaan tegen
de bovenkant van de elevator, vlak onder de kapspanten. Een eigenlijke stortzolder is er niet. Tegen de kap van het molenhuis is een groot kaar getimmerd
(op de achtergrond) waarin het graan wordt gestort door de jacobsladder. Via
de stortgoten boven de karen op de maalstoelen komt het maalgoed in de
karen en vandaar tussen de stenen.

De molen is gerestaureerd en thans worden nog meer maalderijmachines door
het water aangedreven. Het geheel is doelmatig ingericht.

De Bovenste Molen te Mechelen bij Wittem (L), benedenstrooms gezien. Tussen de beide gebouwen bevindt zich het sagebienrad met de sluizen. De rivier de Geul loopt om de molen heen (de zgn. afslagtak).

Zoals de lezer reeds zal hebben opgemerkt, is er veel overeenkomst te zien tussen de watermolen en de windschepradmolen. Is het scheprad bij de windmolen juist betrekkelijk smal, omdat anders het vermogen van de molen te gering zou zijn om het scheprad rond te krijgen, bij de waterraderen is juist het omgekeerde het geval: zij immers moeten het vermogen leveren en om zoveel mogelijk profijt te trekken van het water, zijn zij juist breed uitgevoerd.

Het zal duidelijk zijn, dat de watermolens tot voorbeeld hebben gediend voor de ontwikkeling van de eerste waterverplaatsende windmolens, die immers tot de jaren dertig van de 17de eeuw altijd uitgerust waren met een scheprad. Het inzicht, dat het aloude waterrad ook in omgekeerde zin kon worden gebruikt, namelijk niet om het te laten aandrijven door water, maar om er zelf water mee te verplaatsen, is van doorslaggevende betekenis geweest voor de ontwikkeling van de lage gedeelten van ons land en als zodanig heeft de watermolen daar dus zijn steentje toe bijgedragen door als voorbeeld te dienen voor het scheprad van de windmolen.

Het opstuwen van het water, dat hierboven al werd genoemd, kan op twee manieren gebeuren. Men kan in de beek een dam leggen en dan het aldus opgestuwde water over een goot naar het rad leiden (bij de bovenslagmolens) of via speciaal geconstrueerde sluizen het water op middenhoogte op het rad brengen (middenslagmolens) of door middel van sluizen een stroomversnelling bewerkstelligen (bij de onderslagmolens).

142

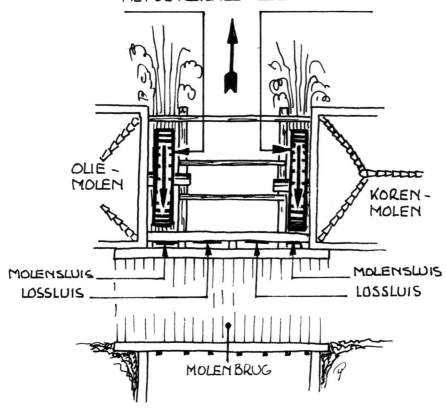

Bovenaanzicht van een dubbele watermolen.
Uit de tekening blijkt, dat als men naar de zijkant van de raderen kijkt, in dit
voorbeeld het rad van de oliemolen met de klok mee en dat van de korenmolen
tegen de wijzers van de klok in draait.

De al genoemde stuwvijver of wijer is bijna altijd aanwezig, maar bij voldoende
water is hij niet beslist noodzakelijk.
De tweede wijze van opstuwing wordt hoofdzakelijk gevormd door een kunstmatige beek die langs de oorspronkelijke wordt uitgegraven langs de hoge
oever. Door nu de nieuwe beek te omgeven met dijkjes, kan men zo een verhoogd waterniveau krijgen. De nieuwe beek wordt, na geruime afstand naast de
oude beek te hebben gestroomd, weer naar de oorspronkelijke bedding afgevoerd. Vóór de plaats waar de vereniging plaats vindt, staat dan de molen die de
kracht van het opgestuwde water benut. (Vreemd genoeg noemt men de oorspronkelijke bedding veelal de *afslagtak*. Ofschoon deze naam op de keper
beschouwd niet juist is, is hij wel begrijpelijk. De molenaar redeneert immers
vanuit zijn molen en beschouwt de beekarm waardoor hij zijn bedrijf kan uitoe-

fenen, als de belangrijkste en de voor hem economisch niet belangrijke oor-spronkelijke bedding als de afslag! Het gegraven gedeelte, dus dat deel waar de molen aan staat, heet dan de *molentak* of *molenbeek*).

De tweede wijze van opstuwen is overheersend. Op de Veluwe en in Noord-Brabant worden de meeste molens op die manier van water voorzien, terwijl dat ook geldt voor ongeveer de helft van de Limburgse molens.

Ofschoon in eerste aanleg de molen gebruik maakt van natuurlijk verval komen er toch meer graaf- en kunstwerken bij kijken, dan de gemiddelde bezoeker zou vermoeden. Vooral op de Veluwe zijn uitgebreide graafwerken ondernomen om de molens aan (voldoende) water te helpen. De meeste zo natuurlijk aandoende beekjes en waterloopjes in dit gebied zijn door mensenhanden tot stand geko-men.

Het natuurlijk verval is op de Veluwe lang niet zo groot en veelvuldig dat dit het grote aantal (papier)molens die daar eens maalden rechtvaardigt. De eigenaars of stichters van nieuwe molens, zochten echter het water op. Zij groeven over vaak zeer grote lengte kunstmatige beekjes in het landschap, de zogenaamde *sprengen* (verwant met het werkwoord ontspringen). Men groef aan de rand van de hoge gronden geleidelijk aan dieper naar beneden tot men het grondwater bereikte. Dat bleef dan vloeien en vormde zo de bron van de nieuwe beek waaraan de molen werd gebouwd. Dat deze ontwatering een ver-laging van de grondwaterstand tot gevolg heeft gehad en dat deze verlaging op het landschap door het droger worden van de grond grote invloed heeft gehad, laat zich raden. Zo zijn dus bepaalde stukken van de Veluwe wat aanzien betreft, even kunstmatig tot stand gekomen als bijvoorbeeld het geval is met onze heidevelden, die zonder de schapen alle weer tot bos zouden worden.

Het spreekt voor zich, dat het water van een en dezelfde beek door verscheidene molens kan worden gebruikt. Het gedeelte van de beek dat bovenstrooms van de molen ligt, heet de *bovenbeek,* het gedeelte na de molen, dus beneden-strooms, de *onderbeek.* Als er nu meer dan één molen op dezelfde beek gebouwd zijn (men spreekt altijd van *op* de beek bouwen en liggen, en niet van aan) dan volgt uit het bovenstaande, dat de onderbeek van de bovenste molen de bovenbeek van de volgende molen is. Enige afstand tussen de molens onder-ling is wel gewenst, daar het water zich eerst weer moet verzamelen achter de volgende stuwwerken om weer voldoende verval te verkrijgen.

Het type molen hangt mede af van het verval dat ter plaatse aanwezig is of kan worden geschapen. Bij veel verval zal men eerder een bovenslagmolen vinden. Bij weinig verval een onderslagmolen. Toch moet men dit ook weer niet te absoluut zien. Er zijn gevallen bekend, dat een oorspronkelijke middenslagmo-len later onderslagmolen werd en enkele molens in Overijssel met een onder-slagrad hadden een klein bovenslagrad erbij om in tijden van weinig water toch nog wat te kunnen malen. Uiteraard moest dan het verval wel groot genoeg zijn. Dit was onder andere het geval bij de molens van Haaksbergen en Henge-lo.

144

Zo is de Bovenste Plasmolen bij Middelaar (L) zowel boven- als midden-slagmolen.

Uit het voorgaande is wel duidelijk geworden, dat men zelf moet kunnen regelen, wanneer en hoeveel water men wil doorlaten, wil men van een regelmatige bedrijfsvoering verzekerd zijn. Dit regelen geschiedt met sluizen. De sluis die het water voor het rad doorlaat, noemt men de *maalsluis*. Als er niet gemalen wordt, leidt men het toestromende water af via een andere sluis, de zogenaamde *lossluis* (lossen in de Zuidnederlandse betekenis van lozen).
Zoals al eerder gezegd, doet men dat bij voorkeur langs een andere weg dan die welke langs de molen stroomt om het gebouw en de fundering te sparen. Als er de mogelijkheid toe is, leidt men het dan overtollige water langs de oorspronkelijke beekbedding af. Om enigszins meester te zijn over de hoeveelheid water die men tot het rad of de raderen wil toelaten, heeft men vaak een *verdeelsluis*. Hiermee kan men de hoeveelheid water die gebruikt wordt voor het malen scheiden van die welke daar op dat moment niet voor nodig is. Soms komen combinaties van functies voor (bijvoorbeeld maal- en lossluis of los- en verdeelsluis).
De sluiswerken zelf bestaan uit een balkconstructie met vloer, in het zuiden de *ark* geheten, en de eigenlijke *sluisschuiven* of *schutten,* welke steeds verticaal bewogen kunnen worden in een sponning van de ark. De ark was vroeger altijd van hout, maar is thans ook wel eens uitgevoerd in beton, evenals het vlotwerk of stortbed, dat in later jaren ook wel in beton in plaats van in het minder duurzame hout werd uitgevoerd.
De schutten kunnen van hout zijn, maar ook ijzeren schutten komen voor. Zij kunnen geopend en gesloten (dus opgehaald en neergelaten) worden door middel van een windas met een ketting, waarmee men de ketting opwindt, (vandaar de naam), in meer modernere uitvoering ook vaak met een lier met tandheugel. Een enkele keer ziet men nog wel, dat het schut geopend wordt door middel van een houten koevoet met ijzerbeslag aan de punt, die dan onder een bout wordt gezet die aan een verticale arm bevestigd is, die op zijn beurt aan de sluisschuif vast zit. In deze arm bevinden zich dan een aantal gaten onder elkaar. Met een ijzeren pen kan men de schuif dan in de gewenste stand vastzetten. De maalsluis is bij een aantal molens van binnenuit het molenhuis te bedienen. Sommige molens hebben achter een der sluizen een ijzeren kooi, die aan de zijde der sluis open is. Hiermee wordt de met het water meestromende vis opgevangen, hetgeen een aardige bijverdienste van de molenaar kan zijn. (Bij sommige poldermolens doet men hetzelfde. Hier plaatst men een raamnet in een sponning in de buitenwaterloop, waarin de opgemalen vis achterblijft). Zo'n viskooi hebben bijv. nog de St.-Ursulamolen te Nunhen (L), de Venbergse Molen te Valkenswaard en de Dommelse molen te Dommelen (N-B).
De molenhuizen waren altijd van hout en zijn pas de laatste paar eeuwen ook geheel of gedeeltelijk in steen opgetrokken. De houten gebouwen zijn nu in de minderheid. In Brabant zijn de meeste nog geheel of gedeeltelijk van hout

Voorbeeld van het sluiswerk van een watermolen (De Venbergse Watermolen te Valkenswaard). De molen heeft vier sluizen. De drie linker zijn de lossluizen, de meest rechtse de maalsluis. De lossluizen doen tevens dienst als verdeelsluis; een zuivere lossluis met een omleiding om de molen heen is hier niet aanwezig.

De maalsluis wordt middels een lier binnenin bediend. De trekstang van de schuif (het schut) wordt geleid langs de balk tegen het gebouw. De andere sluizen worden eveneens met lieren met tandheugel bediend vanaf het sluisbruggetje.

De foto is bovenstrooms genomen en men ziet in het verschiet de molenkolk en de Dommel benedenstrooms van de molen. Twee van de verdeel-lossluizen staan open. Het raamwerk van de sluizen (de ark) is in beton uitgevoerd, de schutten zelf zijn van hout en de lieren van gietijzer.

Het onderslagrad is in doorsnede 5,56 m en breed 70 cm en is van ijzer met houten schoepen. Het rooster achter de tweede sluis links dient voor de visvangst. De met de stroom meekomende vis wordt hierin opgevangen. De molen is uitgerust met 1 koppel stenen, een elevator en een luiwerk. Voorts is nog een kollergang aanwezig, maar deze kan geen dienst meer doen. De molen was vroeger een dwang- of banmolen.

opgetrokken, in Gelderland overheersen de stenen behuizingen, terwijl in Overijssel enkele molens van steen en hout zijn opgebouwd. In Limburg tenslotte zijn alle molenhuizen van steen: soms bak- en ook wel een samengaan van

SLUISJE MET WRIKHOUT

SLUISJE MET WINDKOPPEL

SLUISJE MET WRIKIJZER

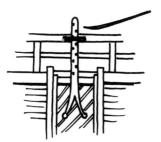

SLUISJE MET TANDHEUGEL

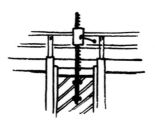

Vier methoden om de sluisschutten (sluisschuiven) te openen. Twee wijzen door middel van hefboomwerking (wrikken): de schuif wordt door een losse houten of ijzeren hefboom (koevoet) in de juiste stand gezet en daarna vastgezet met een pen tussen een van de houten armen, respectievelijk door een van de gaten in de schuifarm.
De andere twee manieren gaan door middel van opwinden: hetzij met een windas met spaken (handgrepen) hetzij door een lier met tandheugel. Is er veel hoogteverschil voor en achter de sluis, dan blijft het schut door de druk van het water soms vanzelf in de juiste stand hangen.

bak- en natuursteen. In deze provincie zijn ze vaak opgenomen in het gebouwencomplex van een boerenhoeve (Wijlre, de graanmolen van Eijsden, Mesch, Rothem en andere).
Aangezien het gebouw van een watermolen veel meer louter 'omkleding' van het drijfwerk is, dan dat het geval is bij een windmolen (daar immers maakt het 'gebouw' veel meer een wezenlijk deel uit van de maalfunctie van de molen dan bij de watermolen) heeft een aantal watermolens in de 19de eeuw en het begin van de 20ste eeuw nogal te lijden gehad door de gehele of gedeeltelijke vernieuwing van het molenhuis, waarbij men geschiedkundige en schoonheidsaspecten niet heeft laten meetellen. Gelukkig echter zijn er ook nog vele fraaie voorbeelden van landelijke bouwkunst uit voorbije tijden bewaard gebleven die met hun omgeving harmoniëren. Uit industrieel-archeologisch oogpunt beschouwd, hebben eerstgenoemde gebouwen echter ook hun waarde en zijn als zodanig het bewaren waard.

Het hiervoor beschreven opstuwen van het water veroorzaakte vaak nogal wat overlast aan de eigenaren en gebruikers van gronden bovenstrooms van de molen. Talloos zijn dan ook de ruzies en processen geweest die uit het te hoog ophouden van het water door de molenaar zijn voortgevloeid. Hij immers had belang bij een zo groot mogelijk verval, doch de *aangelanden* (de eigenaars en gebruikers van de gronden aan de beek) hadden er – zeker 's zomers – belang bij, dat hun landerijen niet onder water stonden of te drassig waren. Om die reden bepaalde de overheid vaak, dat er bij de molen bovenstrooms van de raderen of het rad een peilmerk moest worden geslagen, waarboven het water niet mocht rijzen. Om dezelfde redenen werden sommige molens verplicht stilgelegd in de zomertijd, die dan bijvoorbeeld half maart of begin april inging en in de herfst eindigde. Men noemde zulke molens *wintermolens,* De molens die het gehele jaar door konden of mochten malen, heten *zomermolens,* omdat zij ook 's zomers maalden. (Overigens kwam het verschijnsel van wintermolen ook wel voor, omdat die bepaalde beek 's zomers niet genoeg water bevatte).

Toch zijn er in de loop der eeuwen vele molenaars onwillig geweest en de overheid is dan ook meermalen tegen deze overtreders opgetreden. De twisten konden zich vaak over jaren voortslepen. Dat de plaatselijke overheid niet altijd even gewillig of bij machte was om kordaat op te treden, ligt, gezien de vroegere verhoudingen in een dorpsgemeenschap, soms voor de hand, zodat de gedupeerden hun heil en recht dan zochten bij de hogere overheden. De gewesten en later de provincies, probeerden aan dit euvel tegemoet te komen door reglementen of verordeningen vast te stellen, maar controle hierop was in vroeger tijden met gebrekkig vervoer en communicatie zeker geen kleinigheid, zodat het vaak moeilijk was de molenaar op heterdaad te betrappen, ofschoon dat de hogere – en ook lagere – overheden er niet van weerhouden heeft, vaak rigoureuze maatregelen te treffen. Soms legde men de molenaar een maalverbod voor bepaalde tijd op als straf en om van uitvoering van dit besluit verzekerd te zijn, verzegelde men de (geopende) lossluizen, opdat er geen voldoende verval meer zou zijn en vaak ook de (gesloten) maalsluis. Soms nam men de schutten uit de sluizen weg! Was de molen eigendom van een landheer, dan wilde die ook nog wel eens (bemiddelend) optreden. De landerijen rond de molen waren dan immers ook vaak zijn eigendom en de gebruikers zijn pachters, zodat hij er alle belang bij had, dat de zaak zo snel mogelijk geregeld werd, zoveel mogelijk tot ieders tevredenheid.

Het is ook wel voorgekomen, dat het peilmerk verwijderd werd door de molenaar of eigenaar, zodat een goede controle niet meer mogelijk was. Geschillen tussen molenaars onderling kwamen ook wel voor, als de molenaar van de bovenstrooms gelegen molen het water te veel ophield, zodat de benedenmolen(s) te weinig water om goed te kunnen malen ontving(en). In de 19de eeuw verbeterde de algemene situatie echter, vooral doordat de provincies zich toen via de provinciale waterstaat gericht met het probleem gingen bezighouden en regels gingen opstellen, waarbij dan vaak per molen werd bekeken, hoe ieders

148

Bovenslagwatermolen

belangen het meest gediend en het minst geschaad werden. Gelukkig behoren dit soort problemen nu tot het verleden.

De bedrijven die met de watermolens werden uitgeoefend, verschilden niet wezenlijk van die van de windmolens. Zo waren (en zijn) de meeste bedrijven korenmaalbedrijven, eventueel mede uitgerust met een pellerij om gerst tot gort te pellen.

Zojuist hebben we er al op gewezen, dat door de goede kwaliteit van het water op de Veluwe daar erg veel papiermolens voorkwamen, veelal bovenslagmolens. Er waren volmolens en kopermolens en er zijn nog oliemolens en zaagmolens.

De papiermolens en de zaagmolens, alsmede de oliemolens zijn zeldzaam geworden. De overgebleven papiermolens staan in Arnhem (Nederlands Openluchtmuseum) en te Beekbergen (gemeente Apeldoorn). Van andere molens weten we, dat ze vroeger papiermolen zijn geweest. Dat geldt bijvoorbeeld voor een aantal op de Veluwe en voor de Bovenste en Onderste Molen te Mechelen bij Wittem (L).

Oliemolens (al of niet in bruikbare staat) zijn er nog te Eerbeek (G), Haaksbergen en Azelo (Ambt Delden) (Ov) en te Nunhem (L).

Vermeldenswaard zijn nog de molens te Valkenburg, Borculo, Mallem (G), Nunhem (L) en Millen (L). De eerste, de Kruitmolen, herbergt brouwerijmachines die door de molen (en ook elektrisch) kunnen worden aangedreven, de tweede en de derde hebben nog een pellerij, terwijl de laatste twee elektriciteit hebben opgewekt.

Bekende watermolens zijn die van Singraven bij Denekamp (Ov). De dubbele molen staat op de Dinkel en is uitgerust met drie onderslagraderen van hout met een doorsnede van 5,5 m. De molen is ingericht als koren- en zaagmolen. De hefboom voor de raderen gaat door het dak naar binnen en dient ervoor om de maalsluis van binnenuit te kunnen bedienen. Het geheel biedt een gave aanblik.

Vroeger wekten meer molens elektriciteit op: in het Limburgse ook die te Wijlre en Eijsden, terwijl de turbinemolen te Grathem, in dezelfde provincie, vroeger de hele openbare verlichting van het dorp verzorgde via een bovengronds gelijkstroomnet. Een bijzonder fraaie waterzaag- en korenmolen vinden we op het landgoed Singraven bij Denekamp (Ov). Van verschillende nog bestaande molens is, zoals we net zagen, bovendien bekend, dat ermee ooit een ander bedrijf is uitgeoefend of dat zij een dubbelbedrijf hebben gehad. Dubbelbedrijven kwamen trouwens vrij veel voor. De molen in Wijlre wekt nog steeds elektriciteit op voor eigen gebruik.

Bijzonder waren de *kopermolens*. Zij dreven hamers aan om koper mee te pletten (onder andere de mooie koperen ketels uit de poffertjeskramen werden er gemaakt!) Ook dreven zij de grote schaar aan, waarmee het koper werd geknipt. Voorts bewogen zij twee reusachtige blaasbalgen op en neer om het vuur brandende te houden. Deze werden op en neer bewogen door een nokkenas, net zoals de stampers worden opgetild in een oliemolen. De nokken waren dan zo gesteld, dat de ene blaasbalg open ging, terwijl de andere dicht ging,

150

zodat men van een voortdurende, gelijkmatige luchtstroom naar het vuur verzekerd was.

De eerste papiermolen werd gesticht door Hans (of Jan) van Aelst, een Vlaming, die om geloofsredenen naar De Noordelijke Nederlanden was gevlucht. Hij stichtte deze papiermolen in Zwijndrecht in samenwerking met Cornelis Adriaenszoon, waarschijnlijk als getijmolen. Hij stichtte in 1591 in Arnhem een soortgelijke molen en is zodoende de stamvader geworden van een reeks papierbedrijven en -bedrijfjes die de Veluwe op dat gebied zo'n goede naam bezorgden. In 1740 vervaardigden niet minder dan 171 molens papier in Gelderland, alsmede 1 watervluchtmolen (een combinatie van een wind- en watermolen dus). Aangezien de papierindustrie een van de eerste industrieën was, die op grote schaal gemechaniseerd werd, zijn van deze molens slechts weinig exemplaren overgebleven, zoals we hebben gezien. Wel zijn een aantal papiermolens omgebouwd tot *wasserijen*. Drie factoren werkten dat proces in de hand: het schone water, dat ook al voor de papierfabricage werd gebruikt, de gewoonte die in bepaalde maatschappelijke kringen ontstond om de was de deur uit te doen en het feit dat er in de molen niet veel behoefde te worden verbouwd. Men stampte met de aangepaste stampers van de papiermolen het wasgoed.

In de 20ste eeuw hebben de watermolens nogal eens te lijden gehad van veranderingen in hun omgeving. Door ruilverkavelingen, ontwateringswerken, beeknormalisaties en dergelijke heeft in de loop der jaren een aantal molens zijn water geheel of gedeeltelijk verloren en staat nu 'als een vis op het droge'. Gelukkig krijgt men tegenwoordig meer begrip voor de bezwaren hiervan, zodat voor onze resterende watermolens mag worden verwacht, dat ze voldoende water zullen houden.

Vermeldenswaard is nog, dat sommige waterkorenmolens tot de Franse Tijd (evenals trouwens een aantal windkorenmolens) een zogenaamde *dwang-* of *banmolen* waren. De landheer van een bepaald gebied liet op zijn kosten een molen bouwen in zijn beek en om van voldoende opbrengsten uit zijn investering verzekerd te zijn, dwong hij de boeren uit zijn gebied hun graan op zijn molen te laten malen. Door ze hiertoe te dwingen en ze in zijn ban te houden, was hij altijd verzekerd van een geregelde bron van inkomsten. Overbodig te vermelden, dat de landheer het bijbouwen van andere molens verbood.

Tot slot van dit hoofdstuk mag de vermelding van een bijzondere situatie de lezer niet onthouden worden: in Laag-Keppel (G) staat een watermolentje, dat niet zonder windkracht kan malen. Deze ogenschijnlijke tegenspraak laat zich als volgt verklaren: de oorspronkelijke aan een tak van de Oude IJssel gelegen molen werd daar een aantal jaren geleden van afgesneden, zodat hij geen stromend water meer had. Deze voor het molentje ongewenste situatie heeft men als volgt opgelost: een uit Friesland overgeplaatst spinnekopvijzelmolentje maalt de kolk beneden de molen op een lager peil af op de Oude IJssel. Er ontstaat op die manier verschil in peil tussen de afgemalen kolk beneden de molen en de afgesneden rivierarm boven de molen. Door dit verval nu kan de molen malen op waterkracht. De afgesneden arm ontvangt water uit de grachten van het nabij de molens liggend kasteel Keppel, die op hun beurt water krijgen uit de Oude IJssel. Zo doet zich de merkwaardige situatie voor, dat de watermolen niet meer aan de eigenlijke rivier ligt, toch door middel van diens water maalt, maar dat niet kan zonder hulp van windkracht!

Onderslagmolen

152

HET VERMOGEN VAN DE WINDMOLEN

Na de oorlog, in 1946, zag het er voor de molens buitengewoon somber uit. Talloze molens waren door oorlogshandelingen beschadigd of gesneuveld, reparaties hadden in jaren niet plaatsgevonden, alles was gedesorganiseerd en men stond voor een ontredderde toestand zonder veel uitzicht.

Toen heeft de vereniging 'De Hollandsche Molen' de noodklok geluid. Het was in deze 'noodklokvergadering' dat de Leidse elektrotechnicus J.K. Zierfuss zijn idee lanceerde om de molens draaiende te houden door ze te laten werken in combinatie met een elektrische aandrijving van het werktuig, waarbij tevens de mogelijkheid ontstond om in tijden van wind-'overschot' elektriciteit op te wekken. Dat gaf een nieuw perspectief en men besloot deze gedachte nader uit te werken en te zien of het in de praktijk resultaten zou opleveren.

Voordat wij hieromtrent in het volgend hoofdstuk een en ander mededelen, is het van belang eerst enige aandacht te besteden aan de technische eigenschappen van de molen in het algemeen.

Welk vermogen kan een kloeke windmolen leveren?

Over deze vraag was altijd veel te doen geweest en men kan zeer uiteenlopende antwoorden, die in de loop der tijden hierop zijn gegeven, aantreffen. Nu valt dit niet al te zeer te verbazen. Immers, de vraag hoe groot het vermogen is, is op zichzelf eigenlijk onjuist. De molen is niet een werktuig dat zelf een bepaald vermogen ontwikkelt, het geeft slechts het vermogen door dat het aan de wind ontleent. En dat is in feite op elk moment verschillend. Bovendien hangt het van de belasting af die door het werktuig wordt gevraagd.

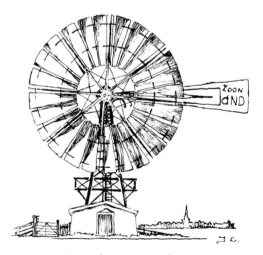

Amerikaanse windmotor

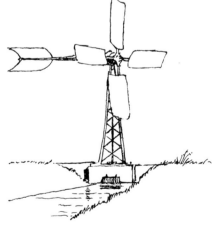

*Kleine vierbladige
windmotor voor onderbemaling*

153

De wind waait met een zekere snelheid maar dat betekent niet dat deze snelheid constant is. Integendeel, deze variëert elk ogenblik en zelfs komen in een windstroom van ogenschijnlijk constante snelheid, vlagen en vlaagjes voor, slierten van wind, die een grotere snelheid hebben. Ook is de energiehoeveelheid die in een windstroom van bepaalde snelheid is opgehoopt niet altijd dezelfde. Deze hangt af van de toestand van de lucht: barometerstand, vochtigheid en temperatuur. Iedere schipper en molenaar weet dat in het winterseizoen de lucht 'dikker' is dan in de zomer en dat bij een zelfde windsnelheid de wind dan zwaarder in de zeilen drukt.

De wind waait door de draaiende wieken heen, gaat door, en geeft dus slechts een gedeelte van het vermogen dat erin opgehoopt is, af aan de bovenas. In het overbrengingsmechanisme van de molen gaat natuurlijk wat verloren en ook bij het aangedreven werktuig (scheprad, vijzel, molenstenen etc.) heeft men met verliezen te maken.

Een kleine variatie in de windsnelheid heeft al een behoorlijke invloed op het vermogen dat de molen kan leveren, want dit is evenredig met de 3e macht van de windsnelheid en dus ook met het aantal omwentelingen van de wieken zolang dat aantal evenredig is met de windsnelheid. Maar deze evenredigheid gaat niet altijd op, want bij sterke wind moet men de zeilen gaan zwichten omdat de molen niet meer 'enden' mag lopen dan hij uit hoofde van zijn constructie kan verdragen.

Belast men bij toenemende windsnelheid de molen zwaarder, bijv. door – bij een korenmolen – steenafstand en graantoevoer te regelen, dan kan bij toenemende wind het aantal toeren van de wieken vrijwel hetzelfde blijven en toch het afgegeven vermogen hoger zijn.

Zo zijn er tal van variabelen en het is wel duidelijk dat het vermogen van een molen niet een bepaalde grootheid is.

Het spreekt vanzelf dat het ook nog verschillend is naarmate de molens in grootte verschillen: het vermogen van een molen is evenredig met het kwadraat van de vlucht.

Aan metingen van het vermogen heeft het in de loop der jaren niet ontbroken, maar aan deze metingen zijn in de praktijk grote bezwaren verbonden: men is te zeer afhankelijk van plaatselijke en van weersomstandigheden en men heeft meestal nauwelijks de gelegenheid om waarnemingen te doen over een redelijke periode waarin alle factoren min of meer constant zijn. Wel worden de metingen eenvoudiger wanneer men de molen een elektrische generator kan laten aandrijven, zodat men het geleverde vermogen voortdurend kan registreren.

Het is dus niet te verwonderen dat men vele verschillende getallen kan vinden omtrent de prestaties van een windmolen en dat vaak cijfers worden genoemd die de toets der kritiek niet kunnen doorstaan.

Het is trouwens niet het belangrijkste hoeveel vermogen een molen op een bepaald moment uit de wind kan halen; veel belangrijker is het te weten welke hoeveelheid arbeid een bepaalde molen in een bepaald tijdsbestek kan leveren.

Hierop immers komt het aan als men de molen wil beoordelen in zijn functie, bijv. in het afvoeren van het polderwater in een bepaalde periode of het afleveren van het maalgoed in een zekere tijd.

Toen de wiekverbeteringen toegepast gingen worden werd het interessant zo nauwkeurig mogelijk te weten in welke mate deze verbeteringen leidden tot verhoging van vermogen en arbeidsprestatie van de molen. Dit was aanleiding dat van verschillende zijden deskundige metingen werden verricht welke nauwkeuriger waren dan vele vroegere – meer ruwe – benaderingen. Toch zijn ook daarvan de resultaten niet in alle opzichten met elkaar in overeenstemming te brengen.

Bekend op dit gebied zijn de metingen die door de Prinsenmolencommissie tussen 1935 en 1958 zijn uitgevoerd. Eerst die aan de 'Prinsenmolen', de schepradmolen van de polder Berg en Broek te Rotterdam-Hillegersberg, waaraan de commissie haar naam ontleent. Zoals we reeds eerder schreven, vonden deze plaats van 1936 tot 1940. Vervolgens de metingen van 1948 tot 1951 aan de molen van de Benthuizerpolder bij Benthuizen (Z-H), mede in verband met de onderzoekingen naar de mogelijkheden van elektriciteitsopwekking naar het idee van ir. J.K. Zierfuss, het zogenaamde tandemsysteem, waarover in het volgende hoofdstuk meer.

Als laatste de proefnemingen met fokwieken bij de Broekmolen, een schepradmolen van de polder Streefkerk met Kortenbroek bij Streefkerk (Z-H).

De bevindingen van de commissie zijn in verscheidene publikaties vastgelegd. Maar ook in later jaren is nog onderzoek gedaan; in 1973 vond een windtunnelonderzoek plaats op de Technische Hogeschool Delft door ir. P.L. Fauël naar de eigenschappen van enkele varianten van de door hem ontwikkelde fokwiek in vergelijking met de oudhollandse wiek, en in 1978 werden in het kader van een HTS-afstudeeropdracht metingen verricht aan de schepradmolen van de Wimmenumer polder te Egmond a/d Hoef (N-H).

Na de energiecrisis in het begin van de jaren zeventig, ontstond een toenemende belangstelling voor het gebruik van windenergie. Over de gehele wereld werden onderzoeksprogramma's opgezet voor elektriciteitsopwekking met windmolens. Dat hiervoor de oudhollandse windmolen zich niet bij uitstek leende, zal direct duidelijk zijn. Men zoekt het in aerodynamisch uitgekiende, snellopende molens, die volkomen automatisch werken, hun wiekstand zelf regelen, en zich automatisch op de wind kruien. In dit boek zullen we ons echter niet met deze moderne windmolens bezig houden.

Teneinde over een bepaalde windsterkte te kunnen spreken, en dan steeds hetzelfde te bedoelen, is de wind ingedeeld volgens de schaal van Beaufort, en wel in twaalf verschillende graden van sterkte. Onderstaande tabel geeft daarvan een overzicht, met de in de weerberichten van het Koninklijk Meteorologisch Instituut te De Bilt in gebruik zijnde benamingen, en de kenmerken waarmee een bepaalde wind gepaard gaat.

155

Wind-kracht volgens Beaufort	Windsnel-heid m/s	Benaming	Kenmerk
0	0,0- 0,2	Windstil	Rook stijgt recht of bijna recht omhoog.
1	0,3- 1,5	Zwakke wind	Windrichting goed herkenbaar aan rookpluimen; windvanen reageren niet.
2	1,6- 3,3		Wind merkbaar in het gelaat; bladeren ritselen, gewone windvanen bewegen.
3	3,4- 5,4	Matige wind	Bladeren en twijgen zijn voortdurend in beweging; de wind strekt een wimpel.
4	5,5- 7,9		Stof en papier dwarrelen op van de grond; kleine takken bewegen.
5	8,0- 10,7	Vrij krachtige wind	Kleine bebladerde takken maken zwaaiende bewegingen; er vormen zich gekuifde golven op meren en kanalen.
6	10,8- 13,8	Krachtige wind	Grote takken bewegen; men hoort de wind in telegraafdraden fluiten; paraplu's kunnen slechts met moeite worden vastgehouden.
7	13,9- 17,1	Harde wind	Gehele bomen bewegen; de wind is hinderlijk wanneer men er tegenin loopt.
8	17,2- 20,7	Stormachtige wind	Twijgen breken af; het voortgaan wordt belemmerd.
9	20,8- 24,4	Storm	Veroorzaakt lichte schade aan gebouwen (schoorsteenkappen en dakpannen worden afgerukt).
10	24,5- 28,4	Zware storm	Ontwortelt bomen; aanzienlijke schade aan gebouwen enz. (komt op land zelden voor).
11	28,5- 32,6	Zeer zware storm	Veroorzaakt uitgebreide schade (komt op land zeer zelden voor).
12	meer dan 32,6	Orkaan	

Deze schaal is in 1805 ontworpen door de Engelse schout bij nacht Sir Francis Beaufort, die de noodzaak inzag van een meer objectieve indeling van de windkracht dan die welke tot dan toe gebruikelijk was. De omschrijvingen gelden voor de wind te land. Voor zeewind gelden andere omschrijvingen. De schaal van Beaufort is sinds 1874 de internationale maatstaf voor de aanduiding van de windkracht.

Zonder nu in details te vervallen, kunnen we als resultaat van alles wat in de loop der jaren bekend is geworden over het vermogen van onze aloude windmolens, wel enige hoofdpunten vaststellen als antwoord op de vraag: wat is het vermogen dat een 'kapitale windmolen' maximaal kan leveren, en wat is de arbeidsprestatie gedurende een bepaalde tijdsperiode.

Niet alle winden zijn voor de molenaar bruikbaar. Bij zwakke wind kan een molen geen arbeid verrichten, en bij 20 m/s wordt het zaak de molen stil te zetten.

Dit wat de aandrijvende kracht betreft van de molen. Maar nu het afgegeven vermogen.

We kiezen een watermolen met scheprad. Een scheprad vergt bij gering aantal toeren betrekkelijk weinig vermogen; dit neemt toe naarmate het aantal omwentelingen groter wordt. Het kan, door zijn constructie, slechts een bepaald gedeelte van het vermogen waarmede het wordt aangedreven, als werkzaam vermogen afgeven. Dit laatste bestaat uit het opvoeren van een zekere hoeveelheid water over een zekere opvoerhoogte in een bepaalde tijd en het wordt uitgedrukt in kiloWatt (kW). Een afgegeven vermogen van 1 kW betekent bij een opvoerhoogte van 1 meter een waterverplaatsing van 100 liter/seconde, ofwel 6 m^3/min.

Het vermogen dat de wieken opnemen uit de wind (het zgn. wiekvermogen) is bij de oudhollandse molen slechts 10 à 20% van het vermogen dat in de wind, die door het door de wieken doorlopen oppervlak waait, aanwezig is. Bij moderne windmolens voor elektriciteitsopwekking kan dit percentage wel oplopen tot 60% of meer. Maar dan spreken we over molens die in de verste verte niet meer lijken op die welke onze voorvaderen bouwden!

Bij een behoorlijk aantal omwentelingen zal ongeveer de helft van het vermogen dat de molen uit de wind haalt, door het scheprad worden afgegeven. Onder bepaalde omstandigheden zal het scheprad van een onverbeterde molen maximaal 15 kW kunnen afgeven, een goede conditie van molen en onderdelen vooropgesteld. Bij forse watermolens kan dus sprake zijn van een opbrengst van zo'n 90 m^3/min. Wanneer het aantal toeren minder wordt, dit is dus bij zwakker wordende wind, zal het afgegeven vermogen al spoedig aanzienlijk lager worden. Bij de niet verbeterde molens begint dit al zodra de windsnelheid beneden de 8 m/s zakt.

De vroegere, dus onverbeterde, windmolen begon eerst te draaien bij een windsnelheid van ongeveer 5 à 6 m/s. Hij draaide dan nog maar zeer langzaam en het scheprad verzette nauwelijks water, net genoeg om alleen maar de wachtdeur open te drukken. Bij het toenemen van de wind begon dan de molen, met volle zeilen, water te verzetten om zich boven 8 à 8½ m/s eerst recht in zijn element te gaan gevoelen en bij nog meer aanwakkerende wind op volle toeren te gaan draaien, zeg ongeveer 80 à 100 enden, zoals het in molenaarstermen heet. (Het aantal enden is het aantal malen dat per minuut een wiekeind passeert, het viervoud dus van het aantal omwentelingen van de bovenas). Bij dit aantal ontneemt de molen dan aan de wind een vermogen van ongeveer 40 kW. Zet de wind nog meer door, dan zal men de zeilen moeten gaan zwichten, zo van ongeveer 10 m/s windsnelheid af en vanaf 15 m/s zal de molenaar met *lege hekken* malen.

Neemt de wind toe tot storm, dan duurt het niet lang meer of de molen wordt gestopt en aan de ketting gelegd. Het hoogste toerental dat een molen kan verdragen ligt in de regel bij 100 enden, soms iets meer. Het gevaar ontstaat daarbij dat de molen 'op hol slaat', want het scheprad gaat dan *dol draaien*; het water spat naar alle kanten, het wordt meer rondgeslingerd dan afgevoerd, en het polderwater kan de gang niet bijhouden, het heeft nauwelijks de tijd om toe te stromen, zodat de vakken van het scheprad niet voldoende worden gevuld. Het remt de molen niet meer voldoende af en alles zou stuk gaan. Bovendien is de vang van de molen bij te hoge snelheden niet tegen zijn taak opgewassen, en zal, bij aanhoudend vangen, in brand vliegen.

Bij industriemolens kan men bij grotere snelheid meestal de belasting wat verhogen door het werktuig wat zwaarder in te stellen en in dat geval komt er dan nog wat meer vermogen uit de molen, wel tot 45 kW met momentele uitschieters van soms wel 70 kW.

Wat is nu het verschil tussen de onverbeterde en de verbeterde windmolen? Een molen met verbeterde wieken loopt reeds aan bij een windsnelheid van 3½ à 4 m/s; bij 5½ m/s geeft hij al evenveel vermogen af als de onverbeterde bij 8 m/s. Bij een zelfde windsnelheid loopt de verbeterde molen aanmerkelijk sneller dan de onverbeterde. Dat is een groot winstpunt. Bij de sterkere winden is het verschil in effect minder groot, want men zal de verbeterde molen eerder moeten gaan zwichten, de onverbeterde molen maalt daarentegen dan nog met volle zeilen en het aantal enden van de beide molens kan dan ongeveer gelijk zijn.

Bij de proeven met de Benthuizer bovenmolen, een molen met 25,80 meter vlucht en verbeterde wieken, werd geconstateerd dat (bij een gang van 66 enden) het vermogen als gemiddelde over een uur 40 kW bedroeg, maar dat momenten kunnen voorkomen van het twee- en het drievoudige!

Het voordeel van de verbeterde molen is van tweeërlei aard: het grotere vermogen bij een zelfde windsnelheid en de langere gebruiksduur; dit laatste doordat de verbeterde molen de vele uren van lichtere wind kan benutten, welke uren immers voor de onverbeterde molen van geen waarde zijn. Met name geldt dit voor de fokwiek, die door zijn speciale constructie al bij lage windsnelheid een flink aanloopkoppel levert.

Uit de windstatistieken van het K.N.M.I. blijkt dat als gemiddelde over een aantal jaren, per jaar ongeveer 3750 uren voorkomen dat de wind een snelheid heeft van minder dan 4 m/s. Tussen 4 en 6 m/s bedraagt dit aantal circa 1770 uur en wind met een snelheid van 6 tot 8 m/s komt voor gedurende ongeveer 1330 uur van het jaar, snelheden van 8 tot 12 m/s gedurende omtrent 1340 uur.

De onverbeterde molen kan dus per jaar niet meer dan in totaal 2670 uur gebruiken, de verbeterde daarentegen 4440 uur. Een enorm verschil! En als men de uren van zwakste wind dat de molen nog aanloopt, zou meetellen, is het aantal meer, al moet worden toegegeven dat in die uren wel heel weinig nuttige arbeid zal worden verricht; maar dit laatste geldt mutatis mutandis evenzo voor de onverbeterde molen.

We mogen dan ook wel stellen dat de hoeveelheid geleverde arbeid per jaar van de verbeterde molen zeker tweemaal zo groot is als van de onverbeterde. Wij zien dan ook dat molens die heden ten dage nog een wezenlijke rol vervullen in de bemaling van polders, of in gebruik zijn voor het malen van graan voor warme bakkers, veelal worden uitgerust met fokwieken.

Natuurlijk blijft, ook voor de verbeterde molen, het aan elke molen verbonden bezwaar, dat de molen nu eenmaal niet kan draaien als er weinig of geen wind is en ook dat de perioden met veel werk voor de molen niet altijd samenvallen met de perioden van goede molenwind.

Bij de watermolens is men van oudsher aan dit bezwaar zo goed mogelijk tegemoetgekomen door de aanleg van zo groot mogelijke waterberging in de polders zowel als in de boezems. Tegenwoordig kan men op eenvoudige wijze dit bezwaar overwinnen door het installeren van een hulpgemaaltje of hulpmotor. Deze laatste kan gemakkelijk ergens een plaatsje vinden in de molen zelf; het stoort het uiterlijk niet.

Wij zouden ons de verbetering van de windmolen nog meer ten nutte kunnen maken, als we de molen zouden belasten met een werktuig dat continu een belangrijk groter vermogen kan opnemen dan tot nu toe gebruikelijk was. Tot op zekere hoogte is dat ook zo, maar de vraag doet zich dan voor of de molenconstructie als geheel wel daarop berekend is. De molen is – mag men wel zeggen – in de loop der eeuwen een zeer vervolmaakt werktuig geweest, maar men heeft hem steeds gebouwd met begrip van de krachten waaraan hij was onderworpen. Gaat men daaraan op bepaalde punten zwaardere eisen stellen, dan kan het niet anders of het harmonische geheel wordt verstoord. Gaat een onderdeel stuk, men kan het vervangen door een nieuw, zo sterk dat dit niet meer breekt; maar dan zal al spoedig een ander onderdeel het begeven en zo voort. Wij menen dan ook de vraag slechts ontkennend te kunnen beantwoorden, hetgeen ook door de praktijk bevestigd is bij de opwekking van elektriciteit met windmolens.

WINDMOLENS EN ELEKTRICITEIT

Reeds hebben we met een enkel woord gesproken over de proeven met de Benthuizer molen. In het kort kan daaromtrent een en ander worden medegedeeld. De proeven werden genomen met het doel om de mogelijkheid na te gaan van het windkrachtbedrijf in een molen in combinatie met elektrische aandrijving, waarbij dan de overgang van de ene drijfkracht op de andere op eenvoudige wijze in het dagelijkse bedrijf mogelijk zou moeten zijn. De Benthuizer molen leende zich daar zeer gemakkelijk toe, want in deze molen was als wateropvoerwerktuig een pomp geïnstalleerd die, behalve door de windmolen, ook kon worden aangedreven door een daartoe in de molen opgestelde elektromotor. Men behoefde nu nog slechts een vrijloopkoppeling in te bouwen en nog enige technische wijzigingen van meer ondergeschikt belang aan te brengen om de bedoelde proeven te kunnen nemen.

De gang van zaken was dan zo dat men de pomp elektrisch kon aandrijven gedurende de tijden van weinig wind en omgekeerd zou gedurende de uren van goede molenwind de molen niet alleen de pomp kunnen aandrijven maar daarenboven ook de elektromotor. Deze zou dan elektriciteit opwekken, althans gedurende de uren dat de windenergie groter zou zijn dan op dat moment voor het wateropvoerwerktuig benodigd. De aldus door de molen aangedreven elektromotor zou de elektriciteit in het openbare net stuwen. Dit is het al eerder genoemde tandemsysteem naar de denkbeelden van ir. J.K. Zierfuss.

De gedachte bleek inderdaad uitvoerbaar te zijn in de dagelijkse praktijk en de proeven, die van 1948 tot 1951 duurden, verschaften waardevolle gegevens over het vermogen dat een windmolen kan geven en over de arbeid die hij in een bepaalde tijdsduur kan verrichten.

Het resultaat was dat de molen in staat bleek in dagbedrijf een hoeveelheid energie op te wekken welke in de orde van grootte van 50.000 kWh per jaar ligt.

Bij de proefnemingen deden zich verschillende nieuwe gezichtspunten voor welke het wenselijk maakten een afzonderlijk instituut in het leven te roepen dat alles in verband met de opwekking van elektriciteit nader zou kunnen bestuderen en aan de praktijk toetsen.

Zo werd in 1952 opgericht de *Stichting Elektriciteitsopwekking door Windmolens*. In 1963 breidde de stichting haar werkterrein uit tot de door waterkracht aangedreven molens, en veranderde haar naam in *Stichting Elektriciteitsopwekking door Windmolens en Waterradmolens*. Zij stelde zich tot taak verschillende onderzoekingen uit te voeren en daarbij de mogelijkheden na te gaan tot het voeren van een meer automatisch bedrijf. Daartoe behoort dan onder meer het automatisch kruien en zwichten. Nieuwe constructies die daarbij zouden worden gevonden, zouden tevens dienstig kunnen worden gemaakt tot verbetering van de windmolens in het algemeen.

Achtkante stellingmolen

Sinds haar oprichting heeft deze stichting, en met name haar deskundige secretaris, ir. F.D. Pigeaud, veel werk verzet, verschillende nieuwe constructies in toepassing gebracht en een drietal molens ingericht voor het opwekken van elektriciteit.

De eerste, de windkorenmolen 'De Hoop' in Wervershoof (N-H) kwam tegen het einde van 1955 in proefbedrijf. Er was een vrijloopkoppeling in de molen aangebracht en verder de nodige apparatuur voor het aandrijven van de opwekmachine. De molen werkte ook in tandembedrijf, geheel op de wijze zoals omschreven bij de proeven in de Benthuizer molen. De vrijloopkoppeling was nodig teneinde te voorkomen dat onder bepaalde omstandigheden de wieken werden aangedreven door de elektrische machine. De wieken werden gewijzigd in zelfzwichting, voorzien van remkleppen in de stroomlijnneuzen. De remkleppen waren gekoppeld met de jaloezieën, zodat een krachtige en toch soepele remwerking ontstond wanneer zulks nodig was. Door allerlei oorzaken kwam de installatie in 1962 buiten bedrijf.

De tweede molen is de windkorenmolen 'De Kraai' te Westbroek (U): deze begon zijn proefbedrijf in 1958. In tegenstelling met de eerstgenoemde molen is hier in de molen een afzonderlijke opwekgenerator geplaatst welke de stroom opwekt en afgeeft aan de elektromotor die de werktuigen aandrijft. Levert de wind daartoe niet voldoende elektriciteit, dan wordt het ontbrekende aangevuld vanuit het openbare elektriciteitsnet. Is, omgekeerd, de opgewekte stroom op een moment niet of niet geheel nodig voor het drijven van de werktuigen, dan wordt het overschot in het net geleverd.

Ook hier zelfzwichting met neusremkleppen die te zamen het automatisch zwichten verzorgen. Speciale beveiligingen zijn aangebracht welke voorkomen dat bij storm of bij het wegvallen van de netspanning de molen op hol zou kunnen slaan. De wieken zijn nagenoeg geheel in staal en aluminium uitgevoerd. De installatie is nog steeds aanwezig maar wordt niet meer gebruikt.

Een grote moeilijkheid in economische zin blijft natuurlijk dat aan de opgewekte elektriciteit die in het openbare net wordt afgeleverd slechts een betrekkelijk geringe 'handelswaarde' kan worden toegekend.

'De Traanroeier' te Oudeschild (Texel), vroeger oliemolen, daarna korenmolen en thans opwekker van elektriciteit.

De asynchrone draaistroomgenerator in 'De Traanroeier' met de V-snaarover-brenging.

Als derde molen voor de opwekking van elektriciteit is de molen 'De Traan-roeier' te Oudeschild op Texel ingericht. In deze molen was geen maalwerk meer aanwezig. In 1960 werd besloten om de molen te bestemmen voor opwek-king van elektriciteit. De voorbereiding en uitwerking van dit plan, dat werd opgezet en uitgevoerd in samenwerking met de Stichting Elektriciteitsopwek-king door Windmolens en Waterradmolens, heeft veel tijd gekost.
Enerzijds omdat besloten werd om de mechanische en elektrische werktuigen en apparaten zodanig te ontwerpen, dat de molen volautomatisch zou kunnen werken. Anderzijds omdat bleek, dat de molen een volledige restauratiebeurt nodig had, om weerstand te kunnen bieden aan de grote krachten en momen-ten, die ten gevolge van het werken in continubedrijf, zelfs onder ongunstige weersomstandigheden, zouden kunnen optreden.
Het werd wenselijk geacht om de generator met secundaire transmissie onder in de molen te plaatsen, dit in tegenstelling met Wervershoof en Westbroek. De molenromp is bij de generatoropstelling beneden aan minder trillingen onder-hevig. Na de tandwieloverbrenging in de kap is een snaaroverbrenging toege-past, waardoor windstoten minder sterk op de generatoren worden overge-bracht. De besturing van de kap, de wieken en de generator geschiedt langs elektrische weg geheel automatisch.
Met het doel een zo groot mogelijk vermogen uit de molen en tevens een bevei-liging tegen overbelasting te verkrijgen, is als wieksysteem zelfzwichting toege-past. Het volautomatisch bedrijf maakte het noodzakelijk een binnenkruiin-richting aan te brengen, welke door een op de kap geplaatste windvaan langs elektrische weg wordt bestuurd.
Het oorspronkelijke binnendrijfwerk werd op de gietijzeren tandkrans van het bovenwiel na, geheel vervangen door stalen assen met V-snaarwielen draaiende in rollagers. Via deze overbrenging wordt de generator van 50 kW (een asyn-

chrone draaistroommotor) aangedreven. Op de generatoras is een vrijloopkoppeling aangebracht waardoor de generator bij een windsnelheid kleiner dan 5 m/s losraakt van het drijfwerk en als elektromotor in nullast blijft draaien. Het in en uit bedrijf nemen van de molen geschiedt door signalen van een windsnelheidsmeter (anemometer) die de diverse magneetschakelaars doet in- en uitschakelen al naar gelang de windhoeveelheid.

De door de generator geproduceerde elektrische energie wordt door het net van het elektriciteitsbedrijf opgenomen.

Om te voorkomen dat de generator als elektromotor zou blijven draaien, bij een windsnelheid kleiner dan 5 m/s, is een tijdrelais aangebracht. Tevens worden dan de jaloezieën van de wieken geopend en de molen door middel van de vang met remcilinder gestopt.

De gehele besturing van de molen is een samenspel van windrichting en hoeveelheid, deze beide grootheden worden elektrisch vertaald en in besturingscommando's omgezet.

Een belangrijk probleem bij deze molen is de storing die de draaiende wieken veroorzaken bij de televisieontvangst van omwonenden. Hierdoor kan de molen bij lange na niet het geplande aantal maaluren maken.

In 1972 werd de Stichting 'Elektriciteitsopwekking door Wind- en Waterradmolens' omgezet in de *Werkgroep 'Elektriciteitsopwekking'* van de vereniging 'De Hollandsche Molen', sinds 1974 de *Werkgroep 'Windenergie'* genaamd. De proefnemingen in de drie hiervoor genoemde molens alsmede enkele andere proeven hebben veel nuttig en leerzaam materiaal verschaft over de mogelijkheden van elektriciteitsopwekking door bestaande molens. Wij kunnen stellen dat voor onze oude windmolens in dit opzicht geen noemenswaardige taak is weggelegd. Hiervoor kunnen verschillende redenen worden aangevoerd: Ten eerste de toch wel forse technische veranderingen die in en aan de molens moeten worden uitgevoerd. Ten tweede het toenemend streven om onze molens zoveel mogelijk in hun authentieke staat als maalwerktuig met behoud van hun oorspronkelijke functie, te handhaven. Dit wordt het best geïllustreerd met de reeds genoemde molen 'De Hoop' in Wervershoof, die in 1955 werd ingericht voor elektriciteitsopwekking: de installatie is verwijderd, en nu is de molen weer dagelijks in bedrijf voor het produceren van meel voor warme bakkers.

Als derde argument kan nog gelden de geringe opbrengst van de energieopwekking; de huidige wiekvormen hebben een laag rendement, en de constructie van onze oude molens is niet opgewassen tegen het overbrengen van al te grote vermogens. Voor elektriciteitsopwekking moeten wij dan ook veeleer onze aandacht richten op moderne vormen van windmolens, waar nationaal en internationaal veel aandacht aan wordt besteed. Als voorbeeld moge gelden de windmolen (of *windturbine*) die in 1981 werd gebouwd op het terrein van het ECN in Petten. Deze molen heeft een vlucht van 25 meter (dus wat dat betreft vergelijkbaar met onze oude windmolens) en levert een vermogen van 300 kW. Dit is zesmaal zoveel als 'De Traanroeier' op Texel, en wel tien keer zoveel als het vermogen dat industrie- en watermolens normaal plegen te leveren.

MOLENTRADITIE

Wanneer wij de molens in het landschap zien, kunnen wij opmerken, dat bij stilstand van de wieken deze niet altijd en niet overal in één en dezelfde stand staan. Dit heeft zijn reden, want de *verschillende wiekstanden* hebben alle hun speciale betekenis. De molenaar kan daarmede verschillende seinen geven, bepaalde omstandigheden aanduiden, zelfs uiting geven aan bepaalde gemoeds-toestanden.

In vroegere jaren was de molenaar, evenals de burgemeester, de notaris en de schoolmeester, een centrale figuur in de dorpsgemeenschap; alles wat in zo'n dorp omging, had de aandacht van de molenaar, die bovendien gelegenheid te over had om alle nieuwtjes uitvoerig met zijn klanten, die op de molen het meel kwamen afhalen en vaak even moesten wachten, te bespreken. Hij liet bepaalde gebeurtenissen, van verre voor een ieder zichtbaar, door middel van de stand van de wieken van de molen blijken en het is geen wonder, dat omgekeerd de molen een centraal punt in het dorpsleven was voor jong en oud.

Te gemakkelijker kon men, ook op verre afstand, de taal der wieken aflezen, omdat bijna elke molen uit de aard der zaak van alle kanten goed zichtbaar is, daar hij terwille van een goede windvang steeds boven alle bebouwing moest uitsteken.

En voor de watermolen, die meestal vrij in het veld op grote afstand buiten de bewoonde wereld ligt, geldt evenals op zee, dat men gaarne zijn bedoelingen voor grote afstand zichtbaar maakt met behulp van seinen, al of niet gepaard met het gebruik van vlaggen.

De stand van de wieken spreekt dan ook een eigen taal, welke voor iedere ingewijde duidelijk is.

Wanneer men een molen aan de wiekenzijde, dat is dus a.h.w. in het 'gezicht' ziet, dan zal men bemerken, dat de wieken altijd draaien tegen de richting van de beweging van de wijzers van het uurwerk in, zoals we trouwens al eerder hebben gezien. Eén van de mogelijke verklaringen die hiervoor wel wordt gege-ven ligt in de behandeling van de molen in het werk. Wanneer de molenaar de zeilen moet zwichten – verminderen dus – ofwel voorleggen, moet hij in de wiek klimmen.

Het spreekt vanzelf, dat hij begint in de wiek die naar beneden gericht staat. Hij stapt in de hekken naar boven en hij moet – evenals aan boord – één hand gebruiken om zich vast te houden en de andere om het zeil te bewerken (aan boord geldt: één hand voor het schip en één hand voor jezelf). Dat hij de rechterhand gebruikt om te werken, ligt 'voor de hand'; dit houdt in, dat hij de roede dus rechts moet hebben om het zeil daaraan te kunnen bevestigen. En de omstandigheid dat van de benedenwaarts gerichte wiek de roede aan de rech-terkant zit en de hekken links, brengt mede, dat de wieken tegen de richting van de wijzers van het uurwerk in moeten draaien. Een andere verklaring die tegen-

Noordhollandse buitenkruier

woordig in toenemende mate wordt gehoord, ligt in de draairichting van de steen van de vroegere handmolens: van bovenaf gezien tegen de wijzers van de klok in. Is tijdens de overgang van handkracht naar windkracht deze draairichting gehandhaafd, dan volgt daar direct voor het oudste type molen, de standerdmolen, de draairichting van de wieken uit: vóór de molen staande ook tegen de wijzers van de klok in.

Kijkt men naar de bovenwiek, dan zal men die dus altijd van rechts naar links zien bewegen. De molenaar geeft nu *vreugde* aan door deze wiek te doen stoppen even vóórdat deze de hoogste (dus verticale) stand bereikt; hij zet de wiek dan in de zgn. *komende* stand. Dit geldt evenzo voor de onderste wiek: ook hij moet de verticale stand nog bereiken en staat dus ook komend. De opgang die de bovenste wiek nog kan maken, past bij de vreugde en zo is dit voor een ieder gemakkelijk te onthouden. De vreugdestand verkondigt dan bijv. dat er feest is wegens een geboorte, huwelijk, plechtige verjaardag of iets dergelijks. Vaak zet men er dan nog luister bij door de vlag op de molen te zetten, op de kap of wel bevestigd aan de wiek in hoogste stand. Dat staat heel vrolijk.

Wanneer de bovenwiek door de hoogste stand heen is vastgezet, staat deze in de *gaande* stand; dit is de stand die aangeeft dat men door het hoogste punt heen is, bergafwaarts gaat, kortom het betekent *rouw* (ook de onderste wiek is door

166

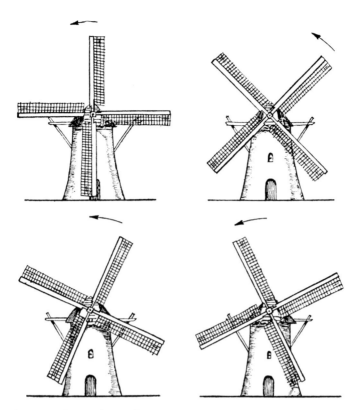

Vier karakteristieke wiekstanden.
Boven links: de rechtstand van de wieken, rust voor korte duur tijdens een werkperiode
boven rechts: de wieken staan overkruis, rust voor langere duur
onder links: de molen staat 'in de vreugd', de komende wiek staat vóór de hoogste stand
onder rechts: de 'rouw'-stand van de wieken, de komende wiek staat door het hoogste punt heen

zijn verticale stand heen en staat dus gaand). Men zal deze stand zien in de gevallen dat in het molenaarsgezin of in de familie het verlies van een familielid valt te betreuren of dat men om andere redenen in de rouw verkeert.

Als een uitvaartstoet in het dorp de molen passeert, ook wanneer het een uit-vaart betreft van iemand die niet rechtstreeks bij de molenaar of diens gezin is betrokken, dan wordt de molen vaak toch in de rouw gezet. Bepaald aandoen-lijk is het dan te zien, hoe de kap (en dus ook het wiekenkruis) meedraait met de richting die de stoet volgt om tenslotte te blijven staan in de richting van het kerkhof. De molenaar noemt dit *nakruien*.

Vreugde en rouw zijn wel de meest markante belevenissen die men in de stand van het wiekenkruis kan aflezen. Maar er zijn meer mededelingen die de mole-naar door middel van de wieken in tussenstanden aangeeft, bijv. het verzoek aan een timmerman of molenmaker om naar de molen te willen komen voor een

167

reparatie van een onderdeel of de mededeling dat de stenen worden gebild (gescherpt) en er dus tijdelijk niet gemalen kan worden. Bij de watermolens wordt het sein om de bemaling aan te vangen of deze te stoppen in verband met de stand van het boezemwater of het binnenwater, met het oog op mogelijke vervuiling van tochten en sloten, soms eveneens door middel van de wiekstand gegeven; zo is er meer, te veel om op te noemen. Vermeldenswaard is nog het systeem van berichtgeving dat betrekking heeft op het zgn. *peilmalen*. Als de boezem vol was en er mocht niet meer op uitgemalen worden, dan gaf men dat door middel van seinen door. Meestal door overdag aan de hoogste wiek een vlag te binden en als het donker was, een lantaarn. Een aantal molens die daarvoor waren aangewezen, de zgn. *seinmolens*, gaven dit dan aan elkaar door.

Als in latere tijden een seinmolen verdween, verving men die door een grote mast voor hetzelfde doel, de seinmast.

Het spreekt vanzelf, dat door de telefoon de meeste van deze seinen in onbruik zijn geraakt. Alleen vreugde- en rouwstand worden nog vrij regelmatig gezien; zij zijn immers meer uitingen van een gemoedstoestand dan berichtgevingen in de engere zin des woords.

Een vertegenwoordiger van het type ronde stenen walkorenmolen is 'De Valk' te Leiden. Onder in de molen zijn twee woningen, die thans deel uitmaken van het molenmuseum, dat sinds 1966 in de molen is gevestigd. De molen werd gebouwd in 1743.

Nu wij hier over verschillende standen van de wieken hebben gesproken welke bepaalde stemmingen in molenaarsgezin en dorpsleven uitbeelden, willen we niet nalaten te vermelden hoe – los van bepaalde omstandigheden – in de regel de wieken staan.

In de zomer, de tijd waarin de watermolens weinig te malen hebben – want een molen kan weliswaar veel water uitslaan in een etmaal, doch de miljarden grassprietjes en rietstengels doen des zomers per etmaal een veelvoud daarvan verdampen – staan ze in de rust. Wij zien ze dan staan met het wiekenkruis onder een hoek van 45° met de horizon; het wiekenkruis vormt dus dan het vermenigvuldigteken. De molenaar zegt dan, dat de molen *overhek* of *overkruis* staat. Het is dan de goede tijd om de molen een extra onderhoudsbeurt of een verfje te geven, de ster op de kop van de as in zijn felle kleuren wat op te halen, de landhekjes om en bij de molen mooi wit en groen op te schilderen en om te teren. Het overkruis staan van de wieken duidt aan, dat de molen voor een langere periode in rust staat. Door de komst der bliksemafleider komt het overkruis staan echter lang niet zo veelvuldig meer voor als vroeger. Een tweede reden om de molen des zomers zo te zetten, was namelijk het feit dat hij zo lager is en minder kwetsbaar voor blikseminslag.

Rust voor kortere duur, dus in het echte maalseizoen, waarbij de molen telkenmale kan worden 'ingespannen' om zijn werk te verrichten zodra de wind opsteekt, wordt aangegeven door de wieken in de stand verticaal en horizontaal te zetten. Het wiekenkruis vormt dus nu het optelteken. Het voordeel hiervan is, dat de molenaar zo kan beginnen met het voorleggen van het zeil op de onderste wiek. De molen staat nu met *een roede voor de borst*.

Wie over deze materie wat meer wil weten, sla er het boek 'Zwaaiende Wieken' van drs. H.A. Visser of het zeer uitvoerige boek van A. Bicker Caarten, 'De Molen in ons Volksleven' op na.

Witte, ronde stenen stellingmolen

169

MOLENS EN FEESTVREUGDE

In vele gevallen geeft men – vooral in de Zaanstreek – de vreugde op uitbundi-ger wijze te kennen dan met de stand van de wieken alleen. Dit is in het bijzon-der het geval wanneer het een bruiloft geldt. Dan wordt de molen versierd met *mooimakersgoed*: een samenstel van allerhande eenvoudige volkskunstversie-ringen, vlaggetjes, uitgezaagde harten, letters en andere toepasselijkheden, glimmende blikken platen, ringen, kransen, amorpijlen, zelfs bazuinende enge-lenfiguren en wat niet al. Ook vlecht men wel een extra stel zeilen in opgerolde toestand of touwen door de hekken heen om het geheel maar vol en druk te maken. Wie zich hiervoor in het bijzonder interesseert, kan in het Molenmu-seum te Koog aan de Zaan dit alles nader beschouwen. Een bezoek aan dit museum, evenals aan het molenmuseum 'De Valk' te Leiden, zij een iedere molenliefhebber ten zeerste aanbevolen! Een dergelijk versierde molen heeft uit folkloristisch oogpunt ontegenzeglijk zijn bekoring. Als uiting van volks-vreugd is het belangwekkend en daarom zeker de moeite waard het als histori-sche herinnering te bewaren.

De tegenwoordige tijd beschikt ook over andere hulpmiddelen om een molen in zijn rol in een feest te laten medespelen. Wat is feestelijker dan 's avonds in het

Papiermolen 'De Schoolmeester' te Westzaan in Zaanse feesttooi.
Een dergelijke versiering in deze vorm komt alleen in de Zaanstreek voor. Het geheel geeft een kleurrijk aanzien en deze versiering wordt slechts bij bijzon-dere gelegenheden gebezigd.

stadsbeeld een mooie walmolen te zien staan in het volle licht, bestraald door lichtbundels die afkomstig zijn van verdekt opgestelde elektrische lichtbronnen? Ook kan men de omtrek van de wieken, romp en balie, de raampjes en de deur aangeven met kleine gloeilampjes, maar dit effect, hoewel aardig om te zien, is minder natuurlijk.

Gaf de versierde molen vroeger natuurlijk uiting aan de vreugde die er bij een bepaalde gebeurtenis in het gezin of de familie van de molenaar plaatsvond, thans wordt hij het monument dat in de luister van het strijklicht uitdrukking geeft aan de feestvreugde in de plaats.

Op eenvoudige wijze kan een stad of dorp zich zo van zijn aantrekkelijke zijde laten zien aan plaatsgenoot en vreemdeling.

Noordhollandse binnenkruier

171

DE MOLENS IN ONZE GESCHIEDENIS

Sinds overoude tijden is het zo geweest dat, waar mensen woonden, graan werd verbouwd. En waar graan werd verbouwd, diende het ook te worden gemalen voor het bereiden van het kostelijk voedsel bij uitnemendheid: het brood. In de primitiefste toestand geschiedde het malen tussen twee stenen die door menselijke kracht werden bewogen. Reeds de bijbelvolken kenden de molens, door vrouwen bediend: wij lezen in Prediker 12 : 4 : *en de twee deuren naar de straat zullen gesloten worden, als er is een nederig geluid van het malen.* Ook de opgravingen in Herculaneum en Pompeï gaven bakkerijen met maalstenen te zien.

Paaltjasker

In latere tijden heeft men dierlijke kracht aangewend zoals de rosmolens, die door paarden werden bewogen, en tenslotte de natuurkrachten water en wind. Dit laatste vereiste al een zekere mate van technische ontwikkeling van de mensheid. De water-, getijde- of schipmolens, slechts in de heuvelachtige delen van ons land voorkomend, en vroeger ook daar waar getijstromingen of rivieren voorkomen, bestonden eerder dan de windmolens. Dergelijke molens werden reeds beschreven door de Romeinse technicus en publicist Vitruvius die leefde in de eerste eeuw voor Christus.
Windmolens moeten in onze landstreken al zijn voorgekomen omtrent 1200 en het is waarschijnlijk dat er voor die tijd ook wel zijn geweest, al zijn daarover geen bepaalde mededelingen aangetroffen. Onafhankelijk van de windmolens die al in de 10de eeuw in het Midden-Oosten voorkwamen (verticale as met windschoepen) werd in Noordwest-Frankrijk omtrent 1180 de windmolen met horizontale as uitgevonden. Een halve eeuw later kwam aan de Nederrijn rond

Keulen hetzelfde type tot ontwikkeling. Blijkens de gebruikte molenaarstermen is ons land door beide beïnvloed.

Als het oudst bekende document betreffende de Nederlanden waarin sprake is
van windmolens, gold het privilege dat door graaf Floris V in 1274 aan de
poorters van de stad Haarlem werd geschonken, maar nu staat wel vast, dat in
1240 al een windmolen stond te Merum ten zuiden van Roermond.

In een brief van Jan II, hertog van Brabant en Limburg, gegeven op donderdag
voor St. Nicolaasdag 1299, verleende deze aan Arnoldus, gezegd Heyme, tot
vermeerdering van het leen dat hij van hem hield, het recht om tussen het dorp
Hamoda van Rode (Sint-Oedenrode) en Skinle (Schijndel) ter plaatse waar hij
dit het bekwaamste zou vinden, een windmolen op te richten en hij schonk hem
daartoe erfelijk de vrije wind. Uit dit document valt op te maken, dat het bouwen van een windmolen in die dagen zeker geen bijzonderheid was. Bekend is
dat er in hetzelfde jaar ook één gebouwd werd voor het klooster Koningsveld bij
Delft.

Boktjasker

Trouwens, in 1294 wordt al door de graaf van Gelre een rekening betaald, die
betrekking blijkt te hebben op de reparatie van een wind- en watermolen in
Lochem en is ook te Weert een windmolen bekend. Er zijn gegevens over
molens in Amsterdam uit 1307, 1341 en 1342 en in Utrecht uit 1397. In 's-
Gravenhage stond ter plaatse van de tegenwoordige Molenstraat de Nortmolen
en ter plaatse van het tegenwoordige Westeinde wordt in 1351 een molen
genoemd.

In de daarop volgende jaren worden de vermeldingen van molens talrijker. In
de tijden van belegeringen ging men de korenmolens, die aanvankelijk voornamelijk op het platteland te vinden waren, meer in de steden concentreren; zij
werden aan de buitenzijde gezet op de wallen die bij de ommuurde steden
behoorden. Wij zien ze afgebeeld op talloze oude prenten en gravures, gezich-
ten op steden, kaarten en plattegronden. Meestal zijn het standerdmolens, een
enkele maal een torenmolen.

Wanneer wij de hierbij afgedrukte prent van Leiden van Jacob Savry uit 1647 naar de tekening van Claude Rivet uit 1640 wat nader beschouwen, dan zien wij als de meest rechtse de molen 'De Koe', staande nabij de Koepoort; links daarvan de molen 'De Kaaskorf'. De beide molens links 'De Engel' en 'De Vechter' of 'Victor' staan op het Grote of Blauwe Bolwerk, de plaats waar nu het oude gebouw van de Sterrenwacht van de Universiteit staat. De poort die wij tussen de beide eerstgenoemde molens zien, is de plaats waar de Geuzen bij het ontzet van Leiden naar binnen voeren, de tegenwoordige Vlietbrug.

Westelijk gedeelte van de stadswallen van Leiden van Jacob Savry, anno 1647 Op de walmuren de (open) standerdmolens. Aan de overzijde van het Galgewater, geheel rechts, het Galgeveld met de galg.

Van oudsher behoorde tot de rechten van de landsheer, de zgn. heerlijke rechten o.m. het recht om het bouwen van een molen al of niet toe te staan en daaraan voorwaarden te verbinden, het recht om de boeren uit de omgeving op een bepaalde molen hun graan te doen malen (waardoor de jaarlijkse opbrengst aan de leenheer werd vermeerderd) en het verbod van gebouwen of opgaand geboomte in de omtrek van de molen teneinde de 'vrije wind' te verzekeren. Zo'n molen, waar de boeren verplicht waren hun graan te laten malen, heette een *dwangmolen* of *banmolen*.

In de tijden tot ongeveer het jaar 1000 mocht Holland nauwelijks bewoonbaar heten; het bestond uit moerassen die door een wal van duinen van de zee waren afgescheiden en de bewoners moesten zich op terpen handhaven. Eerst na het jaar 1000 weet men het water te beteugelen. Een eerste bericht over watermolens dateert uit het begin van de 15de eeuw; in Zoeterwoude en Alkmaar uit 1408 en in Schipluiden uit 1413. Voordien is er al vaak sprake van windmolens, maar dat zijn dan korenmolens geweest, zoals we gezien hebben meestal standerdmolens. Uit deze eerste standerdmolens heeft zich rond 1400 de wipmolen ontwikkeld. Door de standerdkast te verkleinen en het onderstuk dienovereenkomstig te vergroten en de massieve standerd te vervangen door een koker, ontstond een vaste ruimte om het gaande werk ten behoeve van het wateropvoerwerktuig (toen nog altijd een scheprad) in te plaatsen. De wipwatermolen was ontstaan. Naarmate de molens beter werden, werd hun wateropbrengst groter en hun toepassing veelvuldiger. In de tweede helft van de zestiende eeuw bouwde men naast wipwatermolens ook molens met draaibare kap, bovenkruiers dus.

Nadat de eerste grote zeeweringen tot stand waren gekomen en de verbindingen van verschillende wateren met de open zee afgedamd, ging men rond het midden van de 16de eeuw plassen en meren droogmalen. Daartoe gebruikte men windmolens, die in steeds stijgend aantal werden gebouwd. Aanvankelijk waren dit nog niet de kloeke molens zoals wij die uit de latere eeuwen kennen, maar kleine molentjes; zij schenen zo af en toe wel om te waaien en moesten dan weer worden opgericht.

In de zeventiende eeuw worden steeds grotere vorderingen in de strijd tegen de erfvijand, het water, gemaakt. Het is een strijd die men dagelijks moet blijven strijden en daarin spelen de windmolens dan ook meer dan twee eeuwen lang een allesoverheersende rol. Zij hebben ons land bevrijd van het water en het daarvan bevrijd gehouden, niettegenstaande het enige meters lager ligt dan de zeespiegel; zij hebben het zodoende bewoonbaar gemaakt en gehouden. In de meest letterlijke zin heeft het lage deel van Nederland zijn ontstaan zowel als bestaan en ontwikkeling te danken aan de windmolens. Het laatste geldt trouwens voor al onze gewesten. Dat het mogelijk was telkenmale nieuw land aan te winnen, was ook voor een groot gedeelte aan de windmolens te danken.

Het land tussen de steden van Holland bestond in hoofdzaak uit laagveen. Dit veen was van grote betekenis. Hoe moest men anders des winters zich verwarmen in een land waar geen kolen waren en hout uit de bossen nog alleen van verre kon worden aangevoerd? Algemeen werd dan ook het veen rondom de steden en dorpen afgegraven en naarmate men dieper – en dus in het water – kwam, uitgebaggerd, des zomers gedroogd en des winters verstookt. Een oudnederlands rijmpje zegt dan ook: 'Gelukkig is het land, dat zijn eigen moer verbrandt.' (moer = veen).

Doordat dit op steeds grotere schaal geschiedde, ontstonden naast de oorspronkelijke plassen en meren weer nieuwe en werden de wateroppervlakten steeds groter, vooral ook doordat het door de wind opgezwiepte water steeds meer de oevers afknabbelde. De meren gingen een gevaar voor de omgeving opleveren en steeds dringender werd de eis om de uitgeveende plassen en binnenzeeën te gaan droogleggen.

Tussen 1608 en 1612 werd de Beemster drooggelegd. Het meer was drie meter diep en het werd in een jaar tijds drooggemalen door 26 molens die in twee trappen werkten. Maar er volgde een doorbraak van de Zuiderzee en omdat de verse ringdijk het water niet kon houden, liep de droogmakerij weer vol. Het werk moest opnieuw worden gedaan. In 1622 volgde de Purmer, in 1625 de Wormer, in 1629 de Heerhugowaard. In al deze plannen en werken had de beroemde waterbouwkundige Leeghwater een werkzaam aandeel. In 1631 werd door de Staten van Holland en West-Friesland aan de stad Alkmaar octrooi verleend om volgens zijn plannen de Schermer te bedijken en droog te malen. In vier jaren tijds was de polder drooggelegd en kon men de grond gaan bewerken. Na de droogmaking werd de polder in 14 afdelingen verdeeld, elke afdeling met een eigen molen. Deze 14 molens brachten het water op een binnenboezem waaruit met 36 molens, twaalf gangen van drie achter elkaar om de grote opvoerhoogte te kunnen overwinnen, het water op de ringvaart werd uitgeslagen. In totaal bemaalden 51 molens deze polder (waarvan één molentje voor een hoger gelegen afdelinkje (een voormalig eilandje) dat afzonderlijk op de binnenboezem uitsloeg). Zij sloegen daarbij te zamen 1000 m^3 water per minuut uit.

De hier bedoelde molens waren de bekende grote Noordhollandse achtkante houten binnenkruiers van zo'n 25 meter vlucht, de totale lengte van een molenroede (dubbele lengte van een wiek). De grens lag bij 30 meter in verband met de lengte van de boomstammen waaruit zij konden worden vervaardigd. Om dezelfde reden was de houten bovenas gebonden aan een maximum afmeting van ongeveer 80 cm vierkant; zwaardere stammen waren er niet!

Jan Adriaensz. Leeghwater (1575-1650) was een groot man. Geboren in De Rijp, een dorp te midden van de plassen en meren van Noord-Holland, begon hij zijn maatschappelijk leven als timmerman-molenmaker. Hij was een geboren uitvinder-ingenieur-constructeur en werd een beroemd waterbouwkundige en dijkenbouwer. Een uitvinding om lange tijd onder water te kunnen verblijven, baarde nogal wat opzien en hij demonstreerde het voor prins Maurits, in het bijzijn van de beroemde Simon Stevin uit Brugge (1548-1620).

Prins Maurits voelde veel voor techniek, want de techniek was ook toen al belangrijk in het militaire vak. Hij liet zich bijstaan door Simon Stevin. Deze was een groot wiskundige die o.a. tabellen maakte voor de berekening van samengestelde rente en berekeningen toepaste op ingenieursconstructies. Vele octrooien staan op zijn naam, ook voor de verbetering van de watermolens. Het was op zijn initiatief dat prins Maurits in 1600 een 'School voor Ingenieurs voor de Vestingbouw' aan de Leidse Academie stichtte. Meer algemeen bekend is, dat Simon Stevin de man is van de zeilwagen, waarmede hij met prins Maurits en enige voorname 'personagiën' langs het strand van Scheveningen naar Petten zeilde. Ook was hij de uitvinder van de getrapte bemaling door middel van een gang molens.

Prins Maurits liet zich later ook adviseren door de zoveel jongere Leeghwater, de man die de Beemster had drooggelegd en knap was in allerlei vormen van techniek.

Na het droogmaken van de Beemster, hetgeen op 4 juli 1612 werd bezegeld met een maaltijd in 'Het Herenhuis', waaraan ook prins Maurits en prins Frederik Hendrik deelnamen, werd Jan Adriaensz. hun adviseur. Ook in het buitenland werden overal adviezen gevraagd, in Holstein zowel als in Vlaanderen, in Frankrijk zowel als in Engeland.

Frederik Hendrik maakte van zijn diensten gebruik bij het beleg van 's-Hertogenbosch. De stad werd door de vijand verdedigd met behulp van inundaties en de prins liet Leeghwater komen om het water te verwijderen: hij voerde het uit met gebruik van rosmolens en windmolens.

Op oudere leeftijd gekomen, legde hij zijn ervaringen neer in een tweetal boekjes die zeer vermaard zijn geworden; in zijn jongere jaren zal de gelegenheid tot schrijven hem wel hebben ontbroken! Hij maakte een stoutmoedig plan om de grote, vier meter diepe Haarlemmermeer droog te leggen met behulp van 160 windmolens. Deze beroemde studie verscheen in 1641 en was spoedig uitverkocht. De vraag was, ook na zijn dood, zo groot, dat het boek dertien herdrukken beleefde.

Verschillende plannen werden sindsdien gemaakt maar eerst in 1848, toen men de beschikking over stoommachines had, kon het grote werk worden uitgevoerd en wel van staatswege. Het werd in 1852 voltooid.

De eigenlijke ontwikkeling van industriewindmolens zal men moeten zoeken tegen het einde van de zestiende en in de zeventiende eeuw en deze ontwikkeling was stormachtig.

Bij de Unie van Utrecht in 1579, sloten de verschillende gewesten zich aaneen tot een soort statenbond, te zamen vormend 'De Verenigde Provinciën'. Er ontstond meer eenheid zonder dat de zelfstandigheid van elke provincie te zeer werd aangetast. Aan de vele onderlinge twisten en kibbelarijen kwam gaandeweg een einde en een sterke opbloei van de economie in deze landen zette in. De Oostindische, Westindische en Groenlandse Compagnie werden opgericht en in alle richtingen werden nieuwe handelswegen ontsloten. Gebruik makend van de wind zonden de Nederlanders hun zeilschepen over de zeeën naar verre landen; zij werden de 'vrachtvaarders van Europa'.

Met behulp van het zware hout, door de zeilschepen aangevoerd uit de landen aan de Oostzee of per vlot uit Duitsland, werden de vele industriemolens in de Zaanstreek en verder in den lande gebouwd. Om te beginnen in de Zaanstreek de oliemolens, papiermolens en houtzaagmolens.

In die tijden betekenden de molens evenveel voor Nederland als thans de vele fabrieken in de industriestreken. De uitvinding der boekdrukkunst had een enorme vraag naar papier ontketend, de aanvoer der koloniale waren had een grote bedrijvigheid en welvaart ontwikkeld, nieuwe cultuurgronden moesten worden ontwaterd en in gebruik worden genomen, alles werkte mee tot het hoogtij van onze Gouden Eeuw.

De uit de Oost en West naar huis gebrachte produkten werden hier verhandeld en verwerkt. Dit laatste was weer uitsluitend mogelijk dank zij de windmolens. Immers ook hier schoot handkracht of paardekracht te kort evenals bij het bemalen van de polders en het leegmalen der meren. Rivieren of beken met een zodanig verval dat dit door middel van een waterrad de nodige energie voor industriële doeleinden zou kunnen leveren, bestonden slechts in beperkte mate in 't zuiden en oosten van ons land en op de weinige plaatsen waar voldoende getijstroming was. Het enige dat wel voldoende aan natuurlijke kracht aanwezig was (en is!) en zelfs in overvloedige hoeveelheid, was de wind. Deze natuurlijke vorm van energie welke dagelijks gratis ter beschikking stond is dan ook door onze voorouders benut op reusachtige schaal; de molens werden er door opgevoerd tot een hoge graad van mechanische volmaaktheid.

Behalve de reeds genoemde soorten molens bestonden de meest uiteenlopende soorten industriemolens: cacaomolens, snuifmolens voor het vervaardigen van snuiftabak, pepermolens, mosterdmolens, papiermolens, verfmolens, krijtmolens, loodwitmolens, blauwselmolens, schelpzandmolens waarvan het produkt als schuurmiddel werd gebruikt en trasmolens die tras (een metselspecie) maakten en verder nog volmolens voor het bewerken van het laken, runmolens voor het vermalen van eikeschors tot run voor de leerlooierijen en hennepkloppers voor het beuken van vlasstengels voor de linnenfabricage.

Waar vele molens bij elkaar voorkwamen, zoals in de Zaanstreek en in en om Amsterdam en andere grote steden, had vrijwel elke molen zijn eigen naam; men wist dan precies welke molen men in het gesprek bedoelde. Trouwens, ook de afzonderlijke molens had men vaak een naam gegeven. Dit accentueert duidelijk de individualiteit die men aan een molen toekende, evenals bij een schip. De naamgeving was trouwens in sommige streken van overheidswege verplicht om administratieve redenen.

Wij komen daarbij soms merkwaardige namen tegen, namen die samenhangen met bepaalde eigenaardige omstandigheden, met de geschiedenis van de molen of van een eigenaar; voor het nageslacht wordt herinnering daaraan dan levendig gehouden.

In menige molen kan men ook een gevelsteen aantreffen, al of niet voorzien van een toepasselijk(e) zinsnede of rijm, welke de bezoeker aan de buitenkant al iets vertelt van een traditierijk verleden. De molenaarsfamilies waren zeer verbonden met hun molens die soms vele geslachten lang van vader op zoon overgingen.

In de negentiende eeuw waren in ons land rond 10.000 windmolens; al deze zwaaiende wieken en de algemene bedrijvigheid die zij vertolkten, moeten zowel op vaderlander als op vreemdeling een overweldigende en onvergetelijke indruk hebben gemaakt. Alleen al in de Zaanstreek werkten in het begin van de 18de eeuw, 600 windmolens; zij waren de industrieën van die dagen en de voorlopers van de later daaruit ontstane grote levensmiddelenbedrijven, papierfabrieken en houtzagerijen die er thans nog bestaan.

De toepassing van de stoomkracht betekende rond 1880 een radicale omwenteling in de maatschappelijke huishouding. Het werd het begin van het einde van de alleenheerschappij der molens als krachtwerktuigen.

MOLENVERLIES EN MOLENBEHOUD

Wij mogen aannemen, dat omtrent het jaar 1860 ongeveer 10.000 windmolens in ons land aanwezig waren, het grootste aantal dat heeft bestaan. We kennen de omstandigheden die er vanaf de Middeleeuwen tot en met de eerste helft van de negentiende eeuw toe hebben geleid, dat vele molens in ons land werden opgericht. Ook daarna werden nog verscheidene molens opgericht, maar toch, de tijd rond 1860 is wel het hoogtepunt geweest. In het laatste kwart der negentiende eeuw begon het aantal wiekendragers gestadig- eerst langzaam, daarna sneller- te dalen. Een versnelde afbraak vond plaats na de komst van de explosie- en elektromotoren in de twintigste eeuw.

Nadat in 1712 in Engeland de atmosferische machine was uitgevonden door Thomas Newcomen, welke kan worden beschouwd als de voorloper van de eigenlijke stoommachine en die werd gebruikt voor het drijven van pompen in de kolenmijnen van Engeland, werd in 1770 door James Watt de eigenlijke stoommachine, zoals wij die kennen, uitgevonden. Dit betekende het begin van een grote vooruitgang op technisch gebied en de aanloop voor de triomf der stoomtechniek.

In 1807 voer de Amerikaan Robert Fulton met de eerste stoomraderboot op de Hudsonrivier, in 1819 voer een schip over de Atlantische Oceaan dat naast het zeilvermogen was uitgerust met stoom als hulpkracht; in 1827 voer het eerste schip met uitsluitend stoomkracht over de Atlantische Oceaan.

In 1831 verschijnen de eerste stoomlocomotieven, maar voordien hadden de landmachines al een goede ontwikkeling doorgemaakt en zij dreven in vele fabrieken in Engeland de werktuigen aan. Stoompompen pompten het water uit de mijnen, stoomhamers en andere stoomwerktuigen werden aldaar voor de meest uiteenlopende doeleinden toegepast. De betrouwbaarheid van de stoommachines was bewezen en door het buitenland werden vele stoommachines bij Engelse leveranciers besteld. Afgezien van enkele op zichzelf staande proeven, werden in ons land voor het eerst stoomgemalen toegepast bij de droogmaking van de Zuidplas bij Moordrecht (Z-H), waartoe in 1825 werd besloten, echter nog in vereniging met windbemaling. Dit werk kwam gereed in 1839. De eerste droogmakerij welke geheel met stoomkracht werd voltooid, was die der Nootdorpse Plassen, thans vormend de Polder van Nootdorp, in 1844. Ook deze polder ligt in Zuid-Holland.

Polderbesturen bleven voorlopig nog wat terughoudend tegenover de stoomgemalen. De graad van betrouwbaarheid was hun nog niet hoog genoeg waar het ging om zaken van levensbelang als het droog houden van de polders. Bovendien vereisten de machines een deskundige behandeling en het kolenverbruik was hoog. Goede machinisten waren op het platteland schaars en moeilijk in dienst te houden.

Al deze oorzaken werkten nog wat remmend op de invoering van de stoommachines voor polderbemaling.

Het besluit tot droogmaking van de Haarlemmermeer bracht daarin verandering; dit grote werk werd met succes uitgevoerd met behulp van stoomkracht. Drie kapitale stoommachines van 300 kW elk, werden in Engeland besteld en deze hebben in de jaren van 1848 tot 1852 de grote plas drooggelegd, nadat het plan ôm, net als bij de Zuidplas was gebeurd, het meer droog te leggen met stoom- en windkracht was verlaten.

Zo begon langzaam maar zeker de opmars der 'stoomtuigen' in het Nederlandse polderland. Zo won, ook in ons land, de stoomkracht meer en meer terrein. Stoomlocomotieven trokken de treinen onder veel geblaas en met wolken van rook door de landouwen en in de mensheid ontwikkelde zich een soort van stoommentaliteit. Het begrip 'stoom' werd langzamerhand vereenzelvigd met 'snelheid'; nog in het begin van de twintigste eeuw zelfs sprak men vaak van een 'stoomfiets' als men een motorfiets bedoelde. Men ging zich achterlijk vinden, wanneer men nog geen gebruik maakte van de stoomkracht en voor de polderbesturen werd het steeds verleidelijker om een 'stoomtuig' aan te schaffen, waarmede men dan de waterstand in de polder beter en sneller kon beheersen dan met windmolens.

Een remmende factor voor kleinere polders was echter vaak, dat de bouw, inrichting en het gebruik van een stoomgemaal veelal te duur was t.o.v. de te bemalen oppervlakte. De molens van deze polders hebben vaak het stoomtijdperk overleefd, maar vielen daarna ten offer aan de bemaling door middel van explosie- en elektromotoren.

Zo'n stoomgemaal van een polder maakte alle molens, die jaren lang de polder droog hadden gehouden, met één slag werkeloos en overbodig, soms wel met vele tegelijk. Soms brak men de molen niet volledig af, maar deed men dit voor de helft, en bracht men op het ondergedeelte een rieten of pannendak aan om de aldus misvormde romp tot woning voor bijvoorbeeld een landarbeider te bestemmen. Nog heden ten dage zijn deze stompen hier en daar te vinden.

Zo zijn in de polderlandschappen de karakteristieke stoomgemalen ontstaan, het bekende ketelhuis met spitse gevels en boogramen, een machinegebouw, een kolenopslag en een woning voor de machinist, het gehele complex al op verre afstand herkenbaar aan de hoge gemetselde schoorsteen, die zwarte rook in de lucht zond, als de machine werkte.

Wat voor verschillende watermolens gold, kon men ook bij de industriemolens waarnemen. Verschillende molenbedrijven werden omgezet in fabrieken, waarin het werk vlugger en op groter schaal door een stoommachine kon worden verricht. De oorspronkelijke industriemolen werd dan verlaten en geheel of ten dele afgebroken.

Ten gevolge van dit alles waren er bij de eeuwwisseling slechts ongeveer 4000 molens overgebleven en ook daarna ging de slachting onder de trouwe helpers al maar door.

In het begin van de twintigste eeuw komen de explosie- en elektromotor op.

Wat zich enkele tientallen jaren daarvoor had afgespeeld door de ontwikkeling van het stoomwezen, gaat dan opnieuw beginnen, de geschiedenis herhaalt zich. De elektriciteitsontwikkeling, in de steden reeds goed op gang, maakt zich meester van het platteland, poldergemalen worden een welkome aanvulling voor het afzetgebied in de dorpsstreken waarheen toch de kabels worden gelegd, de elektriciteit dringt door tot in alle hoeken van het land. In de dorpen leidt de gemakkelijk toepasbare vorm van energie in talloos vele gevallen tot het ontstaan van – aanvankelijk kleine – maalbedrijven en fabriekjes welke het gebruik van de industriemolen overbodig maken.

Vooral wanneer de eigenaar al op leeftijd is en geen zoons of aanverwanten heeft die hem kunnen en willen opvolgen, zal hij de zaak aan de kant doen, zodra hij zich te oud gaat voelen om zelf het – niet lichte – werk in de molen te blijven voortzetten. Hij zoekt dan een opvolger, maar vindt die meestal niet. Het jongere geslacht leeft in een vlugger tempo, wil een motor horen snorren en het werk klaar hebben in de kortst mogelijke tijd. Vergeleken met vroeger zijn de maatschappelijke en economische toestanden in de maatschappij geheel veranderd: de grote meelfabrieken slokken bijna alles op wat gemalen moet worden, de molenaar moet voor een belangrijk deel zijn geld met de handel verdienen, de lonen zijn het veelvoud van vroeger, op knechten moet men sparen en

Achtkante berg- of beltmolen

men kan dat doen door het investeren van kapitaal in machinale aandrijving: dit is dan weer de reden, dat de molen in de knel komt. Molens worden verminkt of afgebroken; de vrijkomende ruimte wordt gebruikt voor uitbreiding.

181

Twee van de overgebleven Schermermolens. Het betreft hier de molens van de niet meer volledige molengroep te Schermerhorn (op de achtergrond).

Polders die niet waren overgegaan tot de aanschaf van een stoomgemaal, gingen nu ineens over van windbemaling op elektrische kracht. Zo bijv. de vijf meter diepe Hazerwoudse Droogmakerij. Het bestuur liet in 1913 drie elektrische gemalen aanleggen, welke de zeven molens die in getrapte bemaling zorgden voor het uitslaan van het polderwater op de Westvaart en de acht molens welke uitmaalden op de Oostvaart, deden vervallen. Het geheel dat totdien een prachtige aanblik opleverde, was daarmede voor altijd verloren!

In de jaren volgende op de Eerste Wereldoorlog werd de elektrificatie van het platteland nog weer eens extra met kracht ter hand genomen. In 1923 besloot het bestuur van de polder De Honderd Morgen of Wilde Venen te Moerkapelle (Z-H) tot elektrificatie van de bemaling over te gaan en werden dientengevolge in 1924 en '25 de zeven stoere molens opgeruimd. In 1925-'26 deed de Eendrachtspolder onder Zevenhuizen (Z-H) hetzelfde met zijn acht molens; slechts één van deze molens ontliep sloping en siert tot nu toe nog steeds het landschap en is in gebruik voor de waterverversing van de Rottemeren. Bovenstaande voorbeelden zijn slechts enkele voorbeelden, gegrepen uit vele. De molens verdwenen bij tientallen, zeer onooglijke gebouwtjes kwamen ervoor in de plaats en veel landschappelijk schoon ging verloren.

Kleinere polders en particulieren met een watermolentje (zoals vaak in Friesland voorkwam) vervingen hun molen ook wel door de ijzeren Amerikaanse windmotor. Deze is echter later vaak op zijn beurt weer door een gemaal vervangen.

*Een typisch Fries molentje is 'De Volharding' te Jislum in de buurt van Dok-
kum. De bovenkruier wordt in Friesland monnikmolen (muontsmoune)
genoemd, omdat men hem op een monnik in pij vindt lijken. In Friesland vindt
men betrekkelijk veel kleine molentjes, omdat daar vaak het land behorende
bij één of twee boerderijen apart werd en wordt bemalen.*

Afzonderlijk dient nog te worden gememoreerd het verlies van de molens van
de Schermerpolder ten zuiden van Alkmaar. Deze polder werd nog steeds door
eenenvijftig mooie molens bemalen, die zich nog in zeer goede staat bevonden,
toen in 1923 het polderbestuur het besluit nam tot machinale bemaling over te
gaan en de molens af te breken. Daarover is toen veel te doen geweest, want
alom in den lande werd betreurd, dat daar het machtige geheel van deze
molens, een vaderlands monument bij uitnemendheid, in één slag zou worden
vernietigd. De vereniging 'De Hollandsche Molen' protesteerde luid, in de grote pers verschenen talrijke artikelen, rapporten voor en tegen werden uitge-

bracht en hoewel dit de uitvoering wel tot 1927 heeft vertraagd, het slot was toch, dat het besluit doorgang vond. Aanvankelijk zou nog een gedeelte van de polder door een aantal molens bemalen blijven, maar het heeft niet lang geduurd of ook deze kwamen buiten werking, zodat er slechts hier en daar een paar molens zijn overgebleven, ten dele ontdaan van het gaande werk. Daarmede was dan van het mooie geheel niets meer over. Wat had men niet een prachtig monument voor de grote Jan Adriaenszoon Leeghwater kunnen stichten – tevens waardevol museum – door het intact laten van deze meer dan drieëneenhalve eeuw oude bemaling met eenenvijftig molens, een museum dat tot in lengte van jaren voor vaderlander en vreemdeling zou hebben getuigd van de glorie van de zeventiende-eeuwse Nederlander in zijn strijd tegen het water en de middelen waarmede hij deze strijd had uitgevochten! Gelukkig heeft men in 1968 één der molens te Schermerhorn ingericht als museummolen en deze en de andere overgebleven molens draaien thans weer op gezette tijden.

Zo zijn er, in het bijzonder sinds 1900, vele molens het slachtoffer geworden van de zich telkens veranderende tijdsomstandigheden. De rampzalige afmetingen die het molenverlies in de jaren na de Eerste Wereldoorlog allengs ging aannemen, leidden ertoe, dat enige vooraanstaande personen besloten tot het oprichten van een vereniging die daartegen iets wilde doen. Bij velen in den lande leefde de bezorgdheid voor de toekomst der molens en de bewustheid om tot elke prijs te trachten een verdere uitroeiing van de molens te voorkomen.
Daartoe werd in 1923 te Amsterdam opgericht de vereniging 'De Hollandsche Molen, vereniging tot behoud van molens in Nederland'. Deze vereniging bundelde de krachten en zou een belangrijk element gaan worden bij de pogingen tot behoud. Een prijsvraag werd uitgeschreven ten einde te komen tot verbeteringen in en aan de molens, die zouden kunnen helpen in de strijd om het behoud. De trom werd geroerd, openbare discussies vonden plaats, tot zelfs in het Koninklijk Instituut van Ingenieurs toe. De resultaten van dit alles waren wel hoopvol, doch konden niet voorkomen, dat het aantal molens jaarlijks bleef slinken.
De algemene belangstelling was evenwel gewekt en ook die van de overheid, niet het minst van ministeriële zijde. Het toenmalige ministerie van Onderwijs, Kunsten en Wetenschappen had een open oog voor de waarde van het molenbezit van Nederland en het betrok de molens in zijn daadwerkelijke belangstelling en steun.
Naar aanleiding van een adres van de vereniging 'De Hollandsche Molen' werd door de toenmalige minister van onderwijs, kunsten en wetenschappen, dr. J.Th. de Visser, in 1924 een circulaire gezonden aan alle burgemeesters in Nederland, waarin werd gewezen op het belang van het behoud van de windmolens. In deze circulaire verzocht de minister om in het vervolg bij elke molenbedreiging eerst in kennis te worden gesteld, opdat een onderzoek zou kunnen plaatsvinden. Verder deelde hij mede dat naar zijn mening in vele gevallen zou kunnen worden voorkomen dat windmolens tot nutteloze en doelloze inrichtingen werden gemaakt.

Een goed voorbeeld van een Amerikaanse windmotor is die van de Grote Veen-polder in Weststellingwerf bij Nijetrijne (Fr). De grote exemplaren zoals deze, hebben vaak een betonnen of stenen huis als onderbouw, waarin zich een gedeelte van het gaande werk bevindt. De kleinere staan meestal zo op een betonnen of stenen fundering. Op de achtergrond nog één van de twee overge-bleven molens van de oorspronkelijke zes, die dezelfde polder bemaalden.

Daarbij bleef het niet: in juli 1930 werd van de zijde van het ministerie dit beroep op de burgemeesters nog eens herhaald en gewezen op het gevaar om werkende molens op te geven. Een derde circulaire met gelijke strekking volgde in augustus 1939.

In 1942 werd door het ministerie een enquête gehouden onder alle gemeentebe-sturen van Nederland ten einde te komen tot de vaststelling van het juiste aantal bestaande molens. Daarmede kwam vast te staan, dat op 1 januari 1943 in totaal aanwezig waren 583 watermolens en 884 industriemolens die geheel in orde waren, dus in totaal 1467. Daarnaast waren er nog in min of meer gesloop-te toestand 121 watermolens en 362 industriemolens, te zamen 483. Zij waren vrij aardig gelijkelijk over het gehele land verspreid met wat concentraties in Groningen, Friesland en Zuid-Holland.

Hoezeer de oorlogshandelingen van mei 1940 onder de molens hadden huisge-houden, blijkt wel hieruit, dat 483 molens in ontredderde staat verkeerden. Door het oorlogsgeweld in 1944 en 1945 werden er wederom vele vernield.

Na afloop van de Tweede Wereldoorlog werd opnieuw door het ministerie van Onderwijs, Kunsten en Wetenschappen een inventarisatie opgemaakt. Het bleek, dat van de 1467 molens die in 1943 nog geheel intact waren, er inmiddels 1306 in vrijwel onbeschadigde toestand waren overgebleven: 577 watermolens en 729 industriemolens. Verder waren er dan nog in gedeeltelijk vernielde staat 121 watermolens en 352 industriemolens, in totaal 473, ongeveer hetzelfde aantal als in 1943. In de oorlogsdagen waren 58 molens zwaar en 116 zeer zwaar beschadigd geworden. De beschadigingen betroffen voornamelijk molens in de provincies Zeeland, Noord-Brabant, Gelderland en Limburg.

Sindsdien liep het totale aantal in goede staat verkerende molens weer verder terug.

Zet men nu eens de verschillende aantallen naast elkaar, dan blijkt de ontstellende teruggang tot de jaren zestig, waarna een duidelijke kentering ten goede optreedt.

> 1943 : 583 watermolens en 884 industriemolens, totaal 1467
> 1946 : 577 watermolens en 729 industriemolens, totaal 1306
> 1960 : 397 watermolens en 594 industriemolens, totaal 991
> 1971 : 373 watermolens en 585 industriemolens, totaal 958
> 1981 : 380 watermolens en 572 industriemolens, totaal 952

Nog geen $\frac{2}{3}$ deel van het aantal molens dat in 1943 nog in goede staat aanwezig was, is overgebleven.

Dit zijn wel zeer sombere cijfers en het is niet te veel gezegd, als we stellen, dat tot elke prijs een verdere achteruitgang moet worden voorkomen. Laten we hopen voor verdere oorlogshandelingen gespaard te mogen blijven, maar dan toch zal in de loop der jaren, zij het langzaam, het aantal molens waarschijnlijk nog wel wat blijven dalen als gevolg van rampen en omstandigheden die we niet kunnen tegenhouden.

Ronde stenen grondzeiler

Wipstellingmolen

Zo eist brand nog regelmatig zijn tol onder de molens. Toch is het aantal molen-branden ten opzichte van vroeger drastisch verminderd door de aanleg van *bliksemafleiders.* De molens zijn meestal in een landschap tot in wijde omtrek het hoogste punt en in de steden steken zij boven de bebouwing uit. Evenals de torens, kerken en schoorstenen hebben de molens dan ook altijd een verhoogd risico voor blikseminslag. Het valt niet te verwonderen, dat molens vaak – volgens de hedendaagse begrippen volkomen onnodig – door de bliksem werden getroffen op een wijze dat de daaruit voortkomende brand hen volkomen in as legde.

Men nam het vroeger vaak niet zo nauw met aanleg van een bliksemafleider en-zo een molen daarvan al was voorzien- met de goede uitvoering ervan en met de jaarlijkse controle.Vaak was er ten deze geen enkele behoorlijke voorziening getroffen en sinds de toepassing van de ijzeren roeden volstond men er vaak mede om aan het ondereinde van de roede die naar boven stond gericht, een stuk ketting te laten afhangen in het water. Men had dan het gevoel volkomen te zijn beschermd!

Moderne inzichten omtrent bliksembeveiliging hebben wel anders aangetoond. Deze hebben veel ouderwets ongeloof en bijgeloof doen verdwijnen en duidelijk gemaakt dat het – achteraf gezien – niet te verbazen valt, dat in de loop der jaren zo vele molens het slachtoffer van het hemelvuur werden.

Het is daarom zeer belangrijk, dat tegenwoordig bij elke restauratie wordt gezorgd voor het aanbrengen van een deugdelijke bliksemafleider en dat deze jaarlijks wordt nagezien.

Minder vaak komt het voor dat een molen breuk oploopt door het op hol slaan: het sneller laten draaien dan de molen verdragen kan. Moet men dan de vang opleggen, dan gebeurt het niet zelden, dat de houten vangstukken door de optredende grote plaatselijke hitte in brand vliegen en daarmede de gehele molen in lichterlaaie zetten. Bij opkomend stormweer kan dit voorkomen, wanneer de molenaar niet voldoende oplet of niet tijdig de ongunstige weersomstandigheden heeft onderkend en daarnaar zijn maatregelen heeft genomen.

In het voorgaande hebben we reeds diverse oorzaken genoemd voor de achteruitgang van het molenbestand. Maar er zijn nog meer omstandigheden die tot het te gronde gaan van molens hebben geleid, en nog steeds kunnen leiden!
Wij denken dan met name aan het verval als gevolg van langdurige stilstand. Stilstand betekent achteruitgang, zeker bij een molen. Het wakend oog van de molenaar houdt een werkende molen steeds in goede staat. Als er een kleinigheid mankeert, wordt het in orde gebracht; raakt er iets versleten, het wordt hersteld, want anders kan de molen het werk niet goed doen. Teer en verfwerken geschieden als het houtwerk erom vraagt en al het gaande werk wordt op tijd gesmeerd. Dit alles ontbreekt bij de molen die tot stilstand is gedoemd.
Het molenaarsvak vereist liefde en toewijding. Deze eigenschappen zijn nog wel aanwezig bij hen die van jongs af in de molen zijn grootgebracht, maar groot is hun aantal niet meer. Toch zijn er thans weer meer molenaars dan men zo oppervlakkig zou denken, en de wind- en watermolens mogen zich de laatste jaren weer in een stijgende belangstelling verheugen, hetgeen uit het onderstaande moge blijken.
In de jaren zeventig jaren deed zich op het gebied van het molenbehoud een aantal gunstige ontwikkelingen voor.
Een aantal molenliefhebbers was reeds vanaf 1967 op informele basis bezig om het bedienen van de windmolen in de praktijk te leren. Dit leidde in 1970 tot de eerste door 'De Hollandsche Molen' afgenomen *examens* in het bedienen van een windmolen. Dit examen is de afsluiting van een gedegen praktische en theoretische opleiding tot de bediening van een windmolen in algemene zin.
Het uitoefenen van een bedrijf met korenmolens, pelmolens, zaagmolens, oliemolens enz. leert men er niet; wel het omgaan met en het bedienen van een windmolen in het algemeen.
In 1972 werd officieel opgericht en koninklijk goedgekeurd *Het Gilde van Vrijwillige Molenaars*, een vereniging die de opleiding tot genoemd examen organiseert en coördineert, lesmateriaal daarvoor verschaft, lesmogelijkheden in het land regelt, informatieboeken uitgeeft over zaken die met de opleiding van doen hebben, en de verzekeringen tegen ongevallen en wettelijke aansprakelijkheid regelt.
Door de gestadige uitbreiding van het aantal geslaagden (in 1981: 370) zijn veel molens, die anders zouden hebben stilgestaan, nu weer regelmatig in werking.
Ook het korenmolenbedrijf beleeft sinds 1976 weer een opleving. Toen werd opgericht *Het Ambachtelijk Korenmolenaarsgilde*. Deze stichting stelt zich ten doel zoveel mogelijk wind- en watermolens als korenmolen beroepshalve in

bedrijf te krijgen voor het malen van produkten voor de warme bakker. Door eisen te stellen aan de vakbekwaamheid van de deelnemers verkrijgt men een zo goed mogelijk produkt. Dit gilde kent drie soorten deelnemers: leerling-, gezel- en meestermolenaars. De laatsten kunnen zich als zelfstandig ondernemer bij de stichting aansluiten. In 1981 telde het Ambachtelijk Korenmolenaarsgilde 34 aangesloten ambachtelijke molenaarsbedrijven.

In vele gevallen kan een molen worden behouden door modernisering. Dit kan geschieden, zonder dat men dat aan het uiterlijk van de molen als hinderlijk ervaart. Wanneer bijv. meer opslagruimte voor het bedrijf nodig is, kan ook daarin op een zodanige wijze worden voorzien, dat de molen met bijgebouwen toch een harmonisch geheel blijft vormen. Een mooi voorbeeld hiervan is de molen in Vragender, gemeente Lichtenvoorde, die in 1959 werd gebouwd met behulp van het achtkant van de molen van de Barnheemsterpolder te Stedum (Gr). Het uiterlijk geeft een gaaf geheel te zien en toch is van binnen volop ruimte aanwezig. Het maalwerk wordt normaal aangedreven door de wieken; is er haastwerk en laat de wind verstek gaan, dan zorgt een ingebouwde elektromotor met hamermolen ervoor, dat de taak van de wind wordt overgenomen. Wanneer men op moderne wijze zijn bedrijf wil inrichten en toch zijn molen behouden, dan is er altijd raad op te vinden dit op goede wijze te laten samengaan.

Meer en meer wordt algemeen beseft het belang om de molen als monument voor stad of dorp voor de toekomst veilig te stellen, deze eerst te doen restaureren en daarna goed te onderhouden. Mede tot dit doel zijn vooral sinds de jaren zestig talloze regionale, plaatselijke of provinciale verenigingen, stichtingen, comités enz. opgericht, die zich het lot van één of meer molens aantrekken, terwijl ook een aantal provincies zich actief met het molenbehoud bezig houden, door één of meer ambtenaren met de zorgen daarvoor te belasten, of die daarvoor een speciale *molencommissie* hebben ingesteld.

De meest positieve vorm van molenbescherming kwam tot stand in 1961 toen de *monumentenwet* van kracht werd waardoor vrijwel alle wind- en watermolens zijn beschermd. De Rijksdienst voor de Monumentenzorg kent een aparte afdeling Molens, die de meeste molenrestauraties begeleidt.

In veel gevallen verleent de vereniging 'De Hollandsche Molen' haar bemiddeling om tot het bijeenbrengen van de restauratiegelden te geraken. Het restauratiebedrag kan dikwijls hoog oplopen, maar vaak geven rijk, provincie en gemeente belangrijke subsidies.

Geldelijke steun wordt in deze ook vaak verleend door de ANWB en het Prins Bernhardfonds, die dan een aanvulling geven op het door de eigenaar te betalen deel. Voorts zij vermeld, dat tegenwoordig veel poldermolens ook in ruilverkavelingsverband worden gerestaureerd.

Zeer belangrijk ook is de regeling die in 1961 tot stand is gekomen, waardoor een moleneigenaar die zijn molen regelmatig in bedrijf houdt, c.q. goed onderhoudt, in de jaarlijkse kosten van onderhoud een tegemoetkoming kan verkrijgen van de rijksoverheid, de provincie en de gemeente. Ook hebben enkele provincies zogenaamde *maalpremies* ingesteld: door een toerenteller op de bovenas wordt het aantal omwentelingen geregistreerd. Naar gelang het aantal omwentelingen krijgt men dan een premie uitbetaald met een bepaald maximum.

In vele gevallen leidt dit alles tot een succesvol behoud.

Dan zijn er de gevallen waarbij de gemeente, de provincie, een molenstichting of -vereniging, of zo nodig 'De Hollandsche Molen', een molen in eigendom of beheer overneemt, die anders te gronde zou gaan. Bij industriemolens gelukt het soms een particulier of instantie te vinden die bereid is de molen te exploiteren. Is dit niet het geval, dan zijn de meeste molens toch vrij regelmatig in bedrijf door één of meer vrijwillige molenaars, zoals we al eerder hebben vermeld.

Bij poldermolens zijn er nog gevallen waarin een verbeterde molen voldoende is voor de bemaling van de polder, zulks o.a. afhankelijk van de grootte, de waterberging, en de verbouwde gewassen. In ieder geval is het mogelijk naast de molen een hulpgemaal te gebruiken bij geen of onvoldoende wind, zodat de molen in gebruik blijft en men toch niet afhankelijk is van de wind alleen. Altijd verstandig is het de molen als reservegemaal in stand te houden, voor onvoorziene omstandigheden.

Een aantal van deze watermolens die niet meer gebruikt worden voor bemaling van de polder, wordt in maalvaardige staat gehouden op grond van de bepalingen van de *Wet Bescherming Waterstaatswerken in Oorlogstijd (de B.W.O.-wet)* uit 1952. Daarbij is gedacht aan de mogelijkheid van het wegvallen van de energievoorziening voor de gemalen ten gevolge van oorlogshandelingen. In een dergelijke toestand kunnen de watermolens uitkomst bieden, hetgeen meermalen in de laatste oorlog is bewezen. Zij vervullen een functie overeenkomstig de slaperdijken en zij blijven de parate wachters die op een gegeven dag wel eens een zeer belangrijke taak toegewezen kunnen krijgen. Op overeenkomstige wijze kunnen de koren- en pelmolens ter zake van de voedselvoorziening een rol spelen.

Men kan zich met bezorgdheid afvragen of de concentratie van de maalindustrie, die ongelukkigerwijze ook nog een slechte aardrijkskundige spreiding over ons land heeft, op zichzelf niet reeds een noodzaak betekent om de nog bestaande koren- en pelmolens in maalvaardige staat te houden. Het zou nog wel eens nodig kunnen zijn, dat wij op de molens een beroep moeten doen evenals dat in de afgelopen oorlog zo duidelijk is gebleken!

Uit het voorgaande zou men kunnen opmaken dat iedere molen in Nederland nu wel afdoende beschermd is. Totale sloop komt ook nauwelijks meer voor, maar de molens staan in toenemende mate aan andersoortige bedreigingen bloot, en wel die in de vorm van bebouwing en begroeiing in de directe omgeving.

Het zijn vooral de wegenaanleg, de stadsuitbreidingen, de dorpsuitbreidingen, windbelemmeringen door hoge gebouwen of groenaanplant, landbouwtechnische eisen tot afmaling van de waterstand op een blijvend lager peil, ruilverka-

Spinnekop

velingen en vele andere omstandigheden meer, die maken dat molens daarvan het slachtoffer kunnen worden. In het verleden was men in het algemeen maar al te zeer geneigd een molen die 'in de weg' stond, op te offeren en te slopen. Maar in feite is een andere oplossing die we vaak tegenkomen net zo slecht: men maakt een plan waarbij de molen zodanig door nieuwe straten en gebouwen wordt ingesloten, dat op goede en onbelemmerde windvang niet meer valt te rekenen, om maar te zwijgen over de esthetische kant van de zaak.

Om deze ontwikkelingen tijdig te onderkennen, is in 1972-'73 onder auspiciën van het Gilde van Vrijwillige Molenaars de *Biotoopwacht* opgericht. Deze tracht de molenbiotoop (d.i. de omgeving van de molen in de ruimste zin des woords) zo gunstig mogelijk te houden en te krijgen door tijdige signalering van bedreigende plannen. Om dit te bereiken is een netwerk van biotoopwachters over het gehele land in het leven geroepen, die de nieuwe bestemmingsplannen e.d. beoordelen op de gevolgen voor de molens en aan de bel trekken als een mogelijke bedreiging optreedt. De organisatie hiervan is centraal geregeld. Het is zaak om tijdig de plannen zodanig te doen ombuigen, dat onbelemmerde windtoevoer gewaarborgd blijft en dat men het plan landschappelijk zo inpast, dat de molen tot zijn recht blijft komen. In dit opzicht is de *Werkgroep Molen-biotoop* van 'De Hollandsche Molen' van belang. Deze werkgroep heeft richt-lijnen samengesteld ten aanzien van bebouwing en beplanting nabij molens ten einde te voorkomen, dat de molens letterlijk en figuurlijk de wind uit de zeilen wordt genomen.

In verschillende gevallen is met overleg geprobeerd te voorkomen dat vanwege opdringende bebouwing de molen landschappelijk teloor zou gaan, doch hangende dit overleg is de noodzaak sterk naar voren gekomen om over richtlijnen te beschikken die de huidige stedebouwkundige zal kunnen hanteren om de molen in zijn plannen een passende plaats te laten behouden waarbij niet uitsluitend visueel de molen wordt gespaard maar ook wordt gelet op het technische aspect van de windtoetreding. Nu tegenwoordig steeds meer wordt gestreefd naar optimale restauraties d.w.z. dat ook het inwendige van de molen weer in functie kan treden is het van grote betekenis, dat de molen niet 'vleugellam' wordt ten gevolge van windbelemmerende bebouwing of begroeiing. Wordt er geen goede oplossing gevonden, dan ligt overplaatsing van de molen voor de hand, zoals al met een aantal is gebeurd.

Het is uiteraard in het bestek van dit boek en dit hoofdstuk niet mogelijk geweest alle instellingen, personen, en werkzaamheden te noemen, die het molenbehoud ten goede komen. We kunnen echter wel vaststellen, dat het molenbehoud in bredere kring gehoor vindt dan vroeger, hetgeen een gunstige ontwikkeling mag worden genoemd.

Paltrok

DE VERENIGING
'DE HOLLANDSCHE MOLEN'

'DE HOLLANDSCHE MOLEN', vereniging tot behoud van molens in Nederland, gevestigd te Amsterdam.

Al enige malen is in het voorgaande de naam van deze vereniging genoemd en het is hier wellicht de plaats om iets meer te vertellen over de werkwijze van deze vereniging, die zich ten doel stelt 'het behoud van molens in Nederland'.

De vereniging heeft van haar oprichting op 15 mei 1923 af steeds de publieke opinie wakker geschud en gewezen op het grote verlies dat Nederland zou lijden wanneer de molens niet zouden blijven bestaan, en op de geestelijke en stoffelijke verarming die daaruit zouden voortvloeien. De in 1924 uitgeschreven prijsvraag, waarover reeds het een en ander werd vermeld, leidde tot verschillende constructieverbeteringen van onderdelen van de molens.

In de vele adressen welke in de loop der jaren werden gericht aan ministeriële en andere overheidsinstanties, heeft de vereniging telkenmale gepleit voor het behoud van bepaalde molens, zulks met afwisselend succes. Doch er werd een groot blijvend resultaat verkregen en wel dat zeer vele ogen zijn opengegaan voor hetgeen op het spel staat. Het heeft geleid tot een meer algemene erkenning en waardering van het molenschoon in ons land en als gevolg daarvan tot steun aan de molens van de meest verschillende zijden. Deze steun heeft zich niet alleen geuit in sympathiserende medewerking van verschillende kanten,

Ronde stenen bergmolen

maar ook in financiële bijdragen van particulieren en overheid. Rijk, provincies en gemeenten steunen niet alleen de vereniging als zodanig met hun bijdragen, maar de vele restauraties van de molens zelf zouden niet denkbaar zijn zonder de belangrijke subsidies die de overheid daarvoor beschikbaar stelt.

Een belangrijk aspect van het werk van de vereniging vormt het verstrekken van alle mogelijke informatie aan particulieren, waterschappen, gemeenten en andere instanties die zich met molenbehoud bezighouden. Op dit gebied heeft men zelfs tot in Amerika, Canada en Aruba kunnen profiteren van de kennis die bij 'De Hollandsche Molen' aanwezig is. Molenaars zowel als molenbezitters, die moeilijkheden ondervinden bij de exploitatie of de noodzaak tot restauratie van de molen, weten de weg naar de vereniging te vinden. Door de vereniging worden belanghebbenden bij elkaar gebracht en adviezen gegeven.

In vele gevallen biedt de vereniging de helpende hand als het gaat om voorfinanciering van de rijksbijdragen in restauratiekosten middels de door de vereniging in 1971 in het leven geroepen stichting *Fonds Aankoop en Onderhoud Molens*. Dit fonds is daartoe in staat door vele giften van verenigingen, bedrijven en particulieren, niet in de laatste plaats door de belangrijke giften van de RABO-banken en de ANWB, alsmede door erfstellingen en legaten.

Men weet dat deze werkzaamheden steeds op onpartijdige en deskundige wijze worden behandeld en uitgevoerd en dat het geld goed wordt besteed.

De vereniging put haar kracht evenwel niet, en zeker niet in de eerste plaats, uit zakelijke oogmerken, maar meer uit het ideële van haar doel. In het eerste jaar telde de vereniging ongeveer 250 leden. In 1953 bedroeg dit aantal 700, in 1963 rond 1800, in 1970 ruim 3800 en in 1980 ongeveer 7000.

De vereniging kent dus langzamerhand een beduidend ledenbestand en het is van het grootste belang om de band met deze achterban sterk te houden. Hiertoe verschijnt viermaal per jaar het blad *Molennieuws* met interessante gegevens over de onderhanden zijnde restauraties en speciale artikelen met foto's. Verder wordt ieder jaar een *jaarboekje* uitgegeven, en worden de leden geanimeerd de jaarvergadering te bezoeken waar o.a. de restauratieresultaten per provincie via een diavertoning worden gepresenteerd en toegelicht. Op deze algemene ledenvergadering, alwaar enige honderden personen uit verschillende streken van ons land samenkomen om het verslag over het wel en wee van het afgelopen verenigingsjaar te vernemen, vindt ook de uitreiking der *certificaten van verdienste* plaats. Deze certificaten worden uitgereikt aan degenen die zich in dat jaar op het gebied van het molenbehoud verdienstelijk hebben gemaakt. Dit wordt als aanmoediging van belangrijke betekenis beschouwd. Hetzelfde geldt voor de uitreiking van de oorkonden en geldprijzen op deze vergaderingen door de stichting *Molengiftenfonds voor Vernuft en Volharding*. Uit het kapitaal van deze in 1973 door ir. F.D. Pigeaud en echtgenote opgerichte stichting worden de geldprijzen beschikbaar gesteld aan particulieren of instellingen, die zich verdienstelijk hebben gemaakt voor het instandhouden, verbeteren en/of draaiende houden van wind- en/of watermolens.

Sinds 1954 vinden in september van ieder jaar twee excursies voor leden van de

194

vereniging plaats, steeds naar een ander gedeelte van ons land. De leden bekijken de molens dan ook van binnen.

Op velerlei wijzen is de vereniging door haar bestuursleden of door haar technische adviseur vertegenwoordigd in provinciale of regionale molenstichtingen, -verenigingen en -commissies. Doordat er een regelmatig contact is met deze organisaties en overheidsinstellingen, blijft er een levendige wisselwerking tussen de activiteiten van allen die betrokken zijn bij het behoud van molens. Ten einde hier nog meer gestalte aan te geven, worden sedert enkele jaren bijeenkomsten georganiseerd t.b.v. deze molenorganisaties, de zgn. *molencontactdagen,* waarbij via voordrachten gedachtenwisselingen op gang worden gebracht over allerlei onderwerpen, welke het molenbehoud raken.

Een andere activiteit is de deelneming in de redactiecommissies van de verschillende provinciale molenboeken. Deze provinciale molenboeken waarvan in sommige provincies al meer drukken zijn verschenen, vormen een belangrijke documentatie op molengebied. Datzelfde kan ook worden gezegd van de uitgebreide verzameling, bijeengebracht door wijlen ir. A. ten Bruggencate, en daarna beheerd door de twee archivarissen van de vereniging, de heren W.O. Bakker en I.J. de Kramer. De in 1980 opgerichte *Stichting Molendocumentatie* zal belangrijk werk gaan doen aan onder meer het beheer en het meer toegankelijk maken van het archief en de bibliotheek van de vereniging.

Sinds februari 1981 is bij de vereniging een lijst verkrijgbaar van alle Nederlandse wind- en watermolens. Deze lijst bevat van iedere molen verscheidene gegevens, zoals naam, plaats en gemeente, type en functie, bouwjaar, vlucht en eigenaar. De lijst, uitgegeven door de Werkgroep Nationale Molendag, wordt regelmatig bijgewerkt, en geeft steeds een compleet overzicht van de nog resterende molens.

Tot de activiteiten der vereniging behoren ook die der verschillende werkgroepen. Wij noemden reeds eerder de Werkgroep Windenergie en de Werkgroep Molenbiotoop. Daarnaast bestaan nog:

– *De Werkgroep Molenhistorie.* Deze beoogt de bestaande kennis op dit terrein te registreren en uit te breiden.

– *De Werkgroep Materialen en Werkwijzen,* die onderzoekt hoe door het toepassen van andere materialen en werkwijzen bij molenherstel een duurzamer resultaat zou kunnen worden bereikt.

– *De Werkgroep Nationale Molendag* die sinds 1973 jaarlijks de *Nationale Molendag* organiseert, waarop zoveel mogelijk molens in werking zijn. Sinds een aantal jaren valt deze dag samen met de *ANWB Landelijke Fietsdag.*

– *De Examencommissie,* die jaarlijks de aspirant-vrijwillige molenaars toetst op hun praktische en theoretische kennis en op hun vaardigheid.

Tenslotte – en dat is niet het minst belangrijke – heeft de vereniging een technisch adviseur in dienst die specialist is op het gebied van vele molenaangelegenheden. Deze adviseur en diens assistent bereizen het hele land, geven overal gratis advies, en zijn behulpzaam bij het maken van plannen. De technische dienst der vereniging is het centrale punt waaromheen zich alle technische werkzaamheden die verband houden met de pogingen tot behoud en restauratie groeperen. Dat alles in nauwe samenwerking met de molendeskundigen van de Rijksdienst voor de Monumentenzorg, en van enkele provincies.

Zo staat dus de vereniging 'De Hollandsche Molen' steeds op de bres voor het behoud der molens in Nederland, en zij tracht haar doel te bereiken langs vele en verschillende wegen; zij vormt een centrum waar de draden samenkomen, en zij onderhoudt in binnen- en buitenland het contact met belangstellenden, belanghebbenden en verdere instanties die met het doel te maken hebben.

Het zaad dat de vereniging 'De Hollandsche Molen' al sinds vele jaren heeft uitgestrooid, heeft vrucht gedragen; afgezien van de meer directe werkzaamheden die op het bureau worden verricht (er worden per jaar meer dan 200 molengevallen behandeld) heeft deze vereniging het klimaat geschapen waarin de molengedachte kon groeien en tot ontwikkeling kon komen. In plaats van 'vereniging tot behoud van molens in Nederland' zou de ondertitel ook kunnen luiden: 'maatschappij tot redding van molens die met de ondergang worden bedreigd'.

Torenmolen

ENIGE LITERATUUR

J.Th. Balk. Kijk op Molens (Amsterdam/Brussel 1979).

H. Besselaar. Molens van Nederland (Amsterdam 1974).

A. Bicker Caarten. De Molen in ons Volksleven (Leiden 1958).

L.H. Blom. De Tjasker, Een zeldzaam molentype (Zwolle 1978).

Ing. P.W.E.A. van Bussel. Korenmolens – Van Ambacht tot Industrie (Eindhoven 1981).

H. Hagens. Molens Mulders Meesters (Hengelo 1979).

A. Sipman. Molenbouw. Het staande werk van de bovenkruiers (Zutphen 1976^2).

A. Sipman. Molenmap (Zutphen 1978).

A. Sipman. Molenwielen (Zutphen 1980).

Dr. J.P.A. Stroop. Molenaarstermen en Molengeschiedenis (Amsterdam 1979^2).

Provinciale molenboeken:

   Het Groninger Molenboek (Groningen 1981, 2de geheel herziene druk).

   Fries Molenboek (Leeuwarden 1980, 2de geheel herziene druk).

   Molens in Drenthe (Zwolle 1979).

   Molens in Overijssel (Zwolle 1971/'72).

   Gelders Molenboek (Zutphen 1968).

   Molenboek Provincie Utrecht (Bussum, 2de geheel herziene druk).

   Noordhollands Molenboek (Amsterdam 1981, 2de geheel herziene druk).

   De Molens van Zuid-Holland ('s-Gravenhage 1980, 3de geheel herziene druk).

   De Molens van Zeeland (Middelburg 1972^2).

   De Brabantse Molens (Helmond 1974).

Molenbibliografie, samengesteld door de Werkgroep Molenhistorie van de Vereniging 'De Hollandsche Molen' (Zutphen ter perse).

REGISTER

ILLUSTRATIEVERANTWOORDING

Tekeningen: J. C. Lunenburg, Aalsmeer: titelpagina, 6, 9, 29, 75, 127, 149, 152, 153, 161, 166, 167, 171, 172, 173, 181, 186, 187, 191, 192, 193, 196. G. Pouw, Naarden: 17, 22, 23, 30, 33, 35, 39, 40, 45, 48, 51, 55, 57, 59, 61, 62, 63, 65, 69, 74, 77, 80, 81, 82, 83, 84, 95, 98, 100, 101, 108, 110, 121, 124, 131, 132, 134, 143, 147. Naar F. Stokhuyzen: 26, 67, 70, 71, 78, 89, 90, 91, 102, 103, 104, 106, 109, 118, 125.

Afbeeldingen: B. Stokhuyzen, Amsterdam: 8. Rijksmuseum, Amsterdam: 13, 14. J. L. J. Tersteeg, Rotterdam: 19, 21, 25, 27, 28, 31, 34, 37, 41, 43, 44, 58, 60, 64, 73, 86, 92, 93, 111, 168, 170, 182, 183, 185. Archief Vereniging 'De Hollandsche Molen': 36, 42, 53, 105, 112, 135, 138, 150; 162, 163 (Werkgroep Windenergie). L. H. Blom, Zwolle: 49. Monumentenzorg, Zeist: 54, 140, 141, 142. Stevens en Magielsen: 68. Prov. Molenarchief Noord-Holland: 97. C. J. Waszmann: 126. P. M. J. van Hooff, Maastricht: 137. E. Vermeer, Dommelen: 146. Oud-Archief, Leiden: 174. P. Kaal, Zaandijk 120. C. A. van Hees, Amsterdam: 96. J. A. van Krimpen: 114, 133, 138. J. P. Faure, Amsterdam: 123.